L'Odyssée

EXTRAITS

HOMÈRE

épopée

Traduction de
Frédéric MUGLER

Édition présentée,
annotée et commentée
par
Christophe CARLIER
Agrégé de Lettres classiques
Docteur ès Lettres

www.petitsclassiques.com

SOMMAIRE

Avant d'aborder le texte

L'Odyssée

HOMÈRE

Comment lire l'œuvre

Avant d'aborder le texte

L'Odyssée

Titre : l'*Odyssée*, c'est-à-dire le voyage d'Ulysse (en grec, Ulysse se dit *Odusseus*).

Genre : épopée.

> Une épopée est un long poème qui comprend plusieurs milliers de vers. Il célèbre, en mêlant l'Histoire et la légende, les exploits d'un héros exemplaire ou les hauts faits d'un groupe. Les épopées les plus célèbres sont l'*Iliade* et l'*Odyssée* d'Homère (composées en grec) ou l'*Énéide* de Virgile (composée en latin).

Auteur : Homère.

Structure : l'*Odyssée* comprend vingt-quatre chants, qui font en moyenne cinq cents vers chacun.

Lieu : parti de Troie (en Asie Mineure), Ulysse navigue à travers la mer Égée et la Méditerranée avant de retrouver sa patrie, l'île d'Ithaque, située à l'Ouest de la Grèce. Mais, pour joindre ces deux points, il parcourt des rivages qui semblent appartenir à des pays imaginaires.

Époque : l'*Odyssée* fut composée au VIIIe siècle av. J.-C. Mais les événements racontés par Homère se situent dix ans après la fin de la guerre de Troie, qui eut lieu vers 1250 avant notre ère.

Principaux personnages : Ulysse, dont les qualités sont la ruse, l'intelligence, la finesse ; grâce à elles, il se tire de tous les dangers.

Ses compagnons : parti de Troie à la tête d'une flotte, Ulysse perd peu à peu ses vaisseaux et ses hommes. Il est seul lorsqu'il parvient finalement chez lui, à Ithaque.

L'épouse d'Ulysse, Pénélope : elle l'attend pendant plus de vingt ans, sans céder aux avances des princes qui la courtisent. C'est pourquoi elle apparaît comme un modèle de fidélité.
Le fils d'Ulysse, Télémaque : courageux et loyal, il aide son père à reprendre le pouvoir à Ithaque.
Athéna : déesse de la guerre et de l'intelligence, elle protège Ulysse tout au long de ses épreuves.

Sujet : au terme d'une guerre épuisante contre la ville de Troie, les Grecs victorieux retournent chez eux. Pour Ulysse, roi de la petite île d'Ithaque, c'est un voyage interminable qui commence : le sort veut qu'il endure mille tourments avant de revoir sa patrie... Pourtant, aidé par la déesse Athéna, Ulysse parvient à rentrer chez lui.
Là, de nouvelles épreuves l'attendent. En son absence (qui a duré vingt ans !), des rivaux se sont mis à convoiter le trône d'Ithaque. Croyant qu'Ulysse est mort, ils pressent même sa femme Pénélope de se remarier. Ulysse devra se débarrasser d'eux avant de retrouver sa place parmi les siens.

HOMÈRE

(VIIIe s. av. J.-C.)

Un inconnu célèbre

Homère est un des auteurs les plus célèbres de l'humanité. Pourtant, nous ne savons presque rien de lui. On ignore tout de son visage : tous les bustes ou les portraits qui le représentent ont été réalisés des siècles après sa mort, et de manière purement imaginaire. Le lieu de sa naissance demeure inconnu : plusieurs îles se vantent aujourd'hui encore d'être la patrie d'Homère. On ne peut même pas fixer de façon précise la période à laquelle il vécut, mais on pense généralement qu'il s'agit du VIIIe siècle av. J.-C.
Sa création elle-même reste mystérieuse. Il n'est pas sûr en effet que l'*Iliade* et l'*Odyssée* aient été composées par le même homme. Des différences majeures (de langue, de style, de sensibilité) opposent les deux épopées, que certains spécialistes attribuent à des auteurs différents.

Des certitudes

Il est sûr en revanche qu'Homère ne ressemblait pas aux poètes d'aujourd'hui. D'abord, il n'a sans doute pas composé son œuvre par écrit. L'*Odyssée* semble avoir été créée oralement, au prix d'un prodigieux travail de mémoire, et c'est de manière orale qu'elle a d'abord été transmise, par des « aèdes » (des chanteurs ou des récitants) qui l'avaient apprise par cœur. Dans les temps anciens, ce texte n'était d'ailleurs pas destiné à une lecture individuelle et silencieuse. Il était dit à haute voix devant une assemblée.

Homère se distingue encore de la plupart des écrivains actuels par le fait qu'il n'invente pas l'histoire qu'il raconte. Les personnages qu'il met en scène et les aventures qu'il retrace appartiennent à la mythologie, c'est-à-dire à un ensemble de croyances à mi-chemin entre la religion et le folklore. Homère ne crée pas le personnage de Poséidon ou d'Athéna, pas plus que celui d'Ulysse ou de Pénélope. Son art est avant tout un art du récit.

Une légende

L'une des nombreuses légendes qui courent sur Homère rapporte qu'il avait perdu la vue (en grec, le mot *homéros* signifie « aveugle »). Dans l'*Odyssée* (chant VIII, v. 63-64), le poète Démodocos lui aussi est aveugle. La Muse (c'est-à-dire la divinité de l'inspiration poétique), qui lui a donné la « *douceur du chant* », lui a en même temps pris ses yeux.

La légende selon laquelle Homère était aveugle témoigne de l'admiration que les Grecs ressentaient déjà à l'égard de l'œuvre du poète. Dans la mythologie, les devins aussi sont aveugles : ceux qui sont autorisés à partager le secret des dieux ne voient pas le monde des hommes.

Ulysse déguisé en voyageur.
Vase à figures rouges, Ve s. av. J.-C. Paris, musée du Louvre.

Aujourd'hui...

L'*Iliade* et l'*Odyssée* sont toujours lues avec admiration dans le monde entier. Le mot « odyssée » est entré, comme nom commun, dans la langue française. Il désigne un long voyage, plein de hasards et d'imprévus. On parle ainsi de l'odyssée de voyageurs perdus dans une tempête ou de l'odyssée d'un explorateur intrépide. L'adjectif « homérique » appartient lui aussi à notre langue. Par référence à l'œuvre d'Homère, on mentionne les « vers homériques » ou les « héros homériques ». Mais l'adjectif peut prendre un sens imagé. Il signifie alors « digne de l'œuvre d'Homère », c'est-à-dire grandiose, incroyable, étonnant. On parle ainsi d'une scène homérique, d'une bataille homérique, d'une équipée homérique...

CONTEXTES

La religion grecque

Dans l'Antiquité grecque, la religion, fort différente de celles que nous connaissons aujourd'hui, admet l'existence de plusieurs dieux (voir p. 166). Les Grecs croient que ceux-ci vivent sur l'Olympe, une montagne qui domine la Grèce. Le maître de toutes les divinités est Zeus, auquel tous doivent obéir. Mais les dieux grecs ont, comme les humains, leurs sentiments, leurs colères, leurs préférences. Ils n'hésitent pas à faire entendre leur avis et à se quereller devant Zeus lui-même.

Un des points dont discutent les dieux est le sort qu'il convient de réserver aux mortels. Ainsi, à propos d'Ulysse, ils sont en désaccord. Athéna, déesse de la guerre et de l'intelligence, a de la sympathie pour lui. Elle l'aide chaque fois qu'elle le peut. C'est également le cas d'Éole, le dieu des vents, qui tente de favoriser le retour du héros à Ithaque. En revanche, Poséidon, le dieu de la mer, déteste Ulysse et l'empêche de rentrer chez lui, en déclenchant notamment de terribles tempêtes.

Le monde de la mythologie

La mythologie se situe à mi-chemin entre la religion à laquelle on croit et le merveilleux qui fait rêver. Les Grecs aiment raconter les histoires extraordinaires arrivées à certains héros. Ce sont leurs aventures que retrace l'épopée. On y voit les personnages lutter avec courage et souffrir parfois, comme tous les hommes ordinaires. Mais les dieux, qui vivent à leurs côtés, se manifestent continuellement à eux. Prenant au besoin une forme humaine, ils guident les hommes ou leur apportent des conseils. Le poème se déroule ainsi dans un monde très proche de la réalité, plein de détails quotidiens, où le surnaturel et le merveilleux jouent en même temps un rôle considérable.

Outre les hommes et les dieux, on croise dans l'*Odyssée* des êtres étranges, parfois séduisants, parfois inquiétants. La nymphe Calypso, amoureuse d'Ulysse, tente de le retenir chez elle. Circé, la magicienne, transforme les hommes en bêtes. Les Lotophages composent un peuple étrange qui mange des fleurs au pouvoir inquiétant. Les Cyclopes sont des géants qui ne possèdent qu'un œil au milieu du front et peuvent dévorer les hommes. Les sirènes, elles aussi, se nourrissent de chair humaine : par leur voix mélodieuse, elles attirent les marins qui se jettent à l'eau pour les rejoindre. Deux monstres encore, Charybde et Scylla, saisissent ceux qui s'aventurent auprès d'eux. Partout, Ulysse se trouve aux prises avec des créatures inquiétantes, proches de l'homme, du dieu et de la bête.

L'Histoire et la légende

L'épopée, qui met en scène des personnages surnaturels, n'est cependant pas sans lien avec l'Histoire. L'*Odyssée* se déroule en arrière-plan d'un événement qui se situe historiquement vers 1250 av. J.-C. : la guerre de Troie. Des vestiges archéologiques témoignent que les Grecs affrontèrent en effet une civilisation très riche, située en Asie Mineure, sur les rivages de la Turquie actuelle. Les Grecs sortirent victorieux de ce combat. À la fin du XIXe siècle, l'Allemand Schliemann entreprit des fouilles archéologiques en se fondant sur les indications fournies par le texte d'Homère. Il découvrit ainsi le site de la ville de Troie. La preuve était faite que l'épopée est unie à l'Histoire par des liens étroits. Quand Homère évoque la guerre de Troie, cinq siècles ont passé depuis la victoire grecque. Le récit des combats, si souvent raconté de bouche à oreille, a pris des proportions considérables. On prétend désormais que la cause de la guerre est une querelle survenue entre trois déesses, que le siège de Troie a duré dix ans et que les dieux sont intervenus eux-mêmes dans les combats.

La pomme de la discorde

Éris, la déesse de la discorde, serait à l'origine de la guerre de Troie. Un jour, elle aurait jeté une pomme d'or entre Héra, déesse du mariage, Athéna, déesse de la guerre, et Aphrodite, déesse de l'amour, en précisant que cette pomme était destinée à « la plus belle des trois ». Mais quelle était donc la plus belle ? Les déesses commencèrent par se quereller, puis elles demandèrent au jeune Pâris, fils du roi de Troie Priam, de les départager.

Le jugement de Pâris

Chacune des déesses, voulant l'emporter sur les autres, tente alors d'influencer Pâris. Héra lui assure que s'il déclare qu'elle est la plus belle, il possédera une gloire immortelle. Athéna lui promet à son tour, en échange du prix de beauté, des succès remarquables sur les champs de bataille. Aphrodite offre enfin à Pâris une tout autre faveur : s'il lui remet la pomme, elle lui permettra de posséder la plus belle de toutes les mortelles. Pâris se laisse convaincre par la déesse de l'amour et la désigne comme la plus belle des trois.

L'enlèvement d'Hélène

Le cadeau qu'Aphrodite réserve à Pâris, c'est Hélène, dont la beauté est légendaire. Le problème est que celle-ci est déjà mariée au roi grec Ménélas, qui règne sur Lacédémone (ou Sparte). Il faut donc, pour posséder Hélène, que Pâris l'enlève à son mari. Aphrodite lui apporte son aide et Pâris parvient sans peine à ramener Hélène à Troie.

Vers la guerre

Quand le roi Ménélas réclame le retour de sa femme, Pâris fait la sourde oreille. Ménélas n'a plus d'autre choix que d'attaquer la ville pour reprendre Hélène. Ce qu'il va faire, avec l'aide de tous les Grecs, qui ont jadis prêté serment de le défendre s'il venait un jour à perdre son épouse. Bientôt, l'armée s'embarque, sous le commandement d'Agamemnon, frère de Ménélas. La guerre de Troie commence…

Le déroulement des combats

Le siège de Troie dure dix ans. Du côté grec combattent des guerriers illustres : Achille, Patrocle, Ulysse, Ajax… Les Troyens sont tout aussi valeureux. Le plus célèbre est Hector. Bien des combattants perdent la vie sur les champs de bataille, mais les deux camps se montrent de force égale.

Le cheval de Troie

C'est finalement la ruse qui permet aux Grecs de l'emporter. Ulysse construit en effet un gigantesque cheval de bois dans lequel il enferme ses hommes. Puis il répand le bruit qu'il s'agit d'un don des dieux qui protégera Troie à une condition : qu'on le fasse pénétrer dans les murs de la ville. Les Troyens, naïfs, font entrer le cheval dans leurs murailles. Quand la nuit vient, les Grecs sortent en armes et prennent les Troyens par surprise.

Le sac de la ville

Les scènes de carnage se multiplient. Pour fuir les soldats grecs, certains Troyens se réfugient dans des temples. C'est notamment le cas de Cassandre, fille de

Priam, qui s'était vouée au culte d'Apollon. Elle cherche asile dans le temple d'Athéna. Mais Ajax, guerrier grec aveuglé par la victoire, la rattrape et abuse d'elle. Il commet ainsi un sacrilège qui irrite les dieux contre l'ensemble de l'armée victorieuse.

Le retour des Grecs

Au lendemain de la victoire, les Grecs s'apprêtent à rejoindre leur patrie. C'est au cours de leur retour que va s'exprimer la colère des dieux. Quand Agamemnon rentre chez lui, à Mycènes, il est tué par Égisthe, l'amant que sa femme Clytemnestre a pris pendant son absence. Ulysse, lui, est condamné à parcourir interminablement les mers. Il met dix ans à rejoindre Ithaque, où l'attend fidèlement son épouse Pénélope. Pendant ce temps, des princes se sont installés à sa cour et prétendent au trône (c'est pourquoi on les nomme « les prétendants »). Ulysse devra se débarrasser d'eux pour remonter sur le trône d'Ithaque. C'est cette partie de la légende que raconte Homère dans l'*Odyssée*.

Le déroulement de l'*Odyssée*

Le plus souvent, l'épopée est faite de récits guerriers. C'est le cas dans l'*Iliade*, qui conte longuement l'affrontement des héros grecs (comme Achille) et troyens (comme Hector). Dans l'*Odyssée*, le récit est plus varié. Il se compose de trois parties de tonalité très différente.

– *L'enquête de Télémaque* (du chant I au chant IV) : sur l'Olympe, la déesse Athéna s'inquiète de savoir qu'Ulysse n'est toujours pas rentré chez lui, et parvient à intéresser les dieux au sort de son protégé. Puis elle apparaît à Télémaque et l'encourage à résister aux prétendants qui se sont installés dans le palais d'Ulysse et vivent de ses biens. Télémaque décide d'aller chercher

des nouvelles de son père. Il se rend chez Nestor (roi de Pylos), puis chez Ménélas (roi de Lacédémone). Celui-ci le reçoit fort bien, mais ne peut lui donner aucune nouvelle récente d'Ulysse. Pendant ce temps, à Ithaque, les prétendants préparent un complot contre Télémaque.
– *Les voyages d'Ulysse* (du chant V au chant XIII) : au cours d'une nouvelle assemblée des dieux, Athéna obtient l'aide de Zeus. Celui-ci envoie dire à Calypso, qui retient Ulysse auprès d'elle, qu'elle doit le laisser partir. Ulysse se construit un radeau et prend la mer. Après avoir essuyé une tempête, il parvient sur un rivage inconnu. Il est alors recueilli à la cour d'Alkinoos (roi des Phéaciens), où il entreprend de raconter ses voyages. Il explique comment, cherchant à rejoindre sa patrie, il a erré pendant des années dans des pays inconnus, peuplés de créatures effrayantes. Émerveillé par ce récit, Alkinoos offre des cadeaux à Ulysse et lui propose de l'aide : les Phéaciens le reconduisent à Ithaque et le déposent endormi sur le rivage.
– *Ulysse à Ithaque* (du chant XIV au chant XXIV) : de retour dans sa patrie, Ulysse ne se fait pas immédiatement reconnaître des siens. Sans dire qui il est, il interroge son porcher Eumée sur les manœuvres des prétendants. Pendant ce temps, aidé par Athéna, Télémaque regagne Ithaque. Ulysse révèle son identité à son fils. Puis il pénètre dans son palais, habillé en mendiant. Il reconnaît ainsi ceux qui lui sont fidèles. Enfin, il reprend le pouvoir en massacrant les prétendants. Il ne lui reste plus qu'à se faire reconnaître de Pénélope.
Les épisodes les plus célèbres de l'*Odyssée* se situent pour la plupart d'entre eux dans la deuxième et la troisième partie.

GRÈCE ET ASIE MINEURE

3000 av. J.-C.
Fondation de la ville de Troie (sur le territoire de la Turquie actuelle).

Entre 3000 et 1450 av. J.-C.
Une brillante civilisation se développe dans les Cyclades (archipel qui forme un cercle autour de l'île de Délos).

À partir de 1650 av. J.-C.
Une nouvelle forme de civilisation apparaît en Grèce, centrée autour de la ville de Mycènes (on parle de civilisation mycénienne).

XIIIe s. av. J.-C.
La guerre de Troie s'achève (aux alentours de 1250) par une victoire grecque.

Fin du XIIe-début du XIe s. av. J.-C.
La civilisation mycénienne connaît un déclin, du fait de l'invasion des Doriens.

Fin du Xe-début du IXe s. av. J.-C.
La civilisation grecque connaît un renouveau.

IXe et VIIIe s. av. J.-C.
La civilisation grecque s'étend en Méditerranée.

Fin du VIIIe s. av. J.-C. (750-700)
Homère compose l'*Iliade* et l'*Odyssée*.

VIe s. av. J.-C.
Le texte d'Homère est fixé par écrit.

Ve s. av. J.-C.
La civilisation athénienne atteint son sommet. C'est la grande époque de la tragédie grecque, illustrée par Eschyle, Sophocle et Euripide.

IVe s. av. J.-C.
Les cités grecques succombent à leurs rivalités. Alexandre le Grand, roi de Macédoine, étend ses conquêtes jusqu'en Inde. Jeune homme, il avait été instruit par le philosophe grec Aristote et s'était passionné pour les œuvres d'Homère.

IIe s. av. J.-C.
La Grèce devient une province romaine.

AUTRES CIVILISATIONS

2800-2200 av. J.-C.
On élève, en Égypte, les pyramides de Khéops, Képhren et Mykérinos.

XXe-XVIIIe s. av. J.-C.
En Mésopotamie, la ville de Babylone acquiert une importance particulière, en particulier sous le règne d'Hammourabi.

XIVe et XIIIe s. av. J.-C.
Les Hébreux sont maintenus esclaves en Égypte.

XIIIe s. av. J.-C.
Le pharaon Ramsès II fait construire le temple d'Abou-Simbel.

XIIe s. av. J.-C.
Les Hébreux parviennent, conduits par Moïse, sur le territoire actuel d'Israël.

XIe et Xe s. av. J.-C.
Le roi David règne sur Israël et choisit pour capitale Jérusalem. Son fils Salomon lui succède : son règne marque l'apogée de la grandeur d'Israël.

IXe s. av. J.-C.
La ville de Carthage est fondée (sur le territoire de la Tunisie actuelle).

753 av. J.-C.
La ville de Rome est fondée.

510 av. J.-C.
Après avoir connu une succession de rois, Rome devient une république.

IIIe et IIe s. av. J.-C.
Rome et Carthage s'affrontent au cours des guerres puniques.

Ier s. av. J.-C.
Jules César soumet la Gaule.

GENÈSE DE L'ŒUVRE

La naissance du texte

Qu'y avait-il avant Homère ? Fut-il un auteur original, très différent de ceux qui vécurent avant lui ? Ou existait-il au contraire dans le monde grec d'autres poètes semblables à lui, dont il a pu s'inspirer ? Il est impossible de trancher, puisque nous ne possédons aucun texte littéraire antérieur au sien. Il semble cependant qu'Homère s'inscrit dans une lignée de poètes épiques célébrant tout comme lui les héros de la guerre de Troie. L'*Odyssée* est formée de parties assez différentes sur le plan de la narration, du style ou même de la langue. C'est pourquoi on considère souvent qu'il s'agit d'un assemblage de textes divers, adroitement reliés les uns aux autres, qui ont pu être composés par différents auteurs. Dans ce cas, Homère serait un ingénieux assembleur de poèmes qui existaient avant lui. Mais il ne s'agit là que d'une hypothèse.

Un autre point de vue consiste à souligner au contraire que le texte possède une forte unité littéraire. On en conclut alors que l'*Iliade* et l'*Odyssée*, malgré quelques emprunts à la tradition, sont probablement l'œuvre d'un seul poète. Le débat reste ouvert entre spécialistes, pour qui l'origine des épopées d'Homère demeure mystérieuse.

La composition orale

Les spécialistes s'accordent cependant sur le fait que le texte de l'*Odyssée* fut composé oralement. L'écriture existait bien au temps d'Homère, mais elle était utilisée dans un but plus pratique que littéraire. Les

Athéna pensive. *Bas-relief, milieu du Ve s. av. J.-C.*
Athènes, musée de l'Acropole.

premiers textes que nous puissions déchiffrer sont, non des poèmes, mais des listes d'objets : des inventaires dressés par des propriétaires ou des marchands. En marge de cet usage très concret de l'écriture, il existait en Grèce toute une littérature orale, fixée dans la mémoire des poètes.

On reconnaît dans la poésie homérique des caractères propres à la littérature orale de toutes les civilisations. Si l'on observe par exemple les scènes de sacrifice ou de banquet, on constate qu'elles sont construites sur un schéma semblable. Malgré quelques variantes, certaines formules ou certains vers reviennent à l'identique d'un passage à l'autre. Cette régularité est une marque certaine de la poésie orale. Elle permet de soulager la mémoire du récitant en lui proposant des repères assez nets, et lui offre en même temps la possibilité d'intégrer, à un canevas fixe, de courtes improvisations.

Le style formulaire

Dans l'*Odyssée*, certaines formules reviennent fréquemment pour qualifier les personnages. Ainsi, le héros est appelé *« Ulysse fils de Laërte »* ou encore *« Ulysse l'avisé »*, *« Ulysse le divin »*, *« Ulysse l'endurant »*. Homère parle aussi de *« Zeus, l'assembleur des nuages »* ou d'*« Athéna, la déesse aux yeux pers »* (pers signifie « entre le vert et le bleu »). Poséidon, dieu de la mer, est nommé *« l'ébranleur de la terre »* et Circé est appelée *« la déesse aux belles boucles »*. Ces tournures qui s'adaptent parfaitement au rythme du vers grec insistent sur un trait caractéristique du héros. Elles créent en même temps une sorte d'écho poétique lié au nom des personnages.

De manière presque rituelle, des adjectifs accompagnent également les noms communs. Homère parle des

« *vaisseaux rapides* » ou des « *noirs vaisseaux* », de « *l'onde amère* » ou de la « *mer vineuse* ». Cet emploi est typique du style du poète. On parle parfois d'« épithètes homériques » pour désigner ces adjectifs continuellement associés au même nom.

La transmission du texte

Le texte composé de manière orale s'est d'abord transmis de bouche à oreille. Les aèdes (littéralement les « chanteurs ») sont, dans la société grecque, comme des ancêtres des bardes celtes ou de nos troubadours : ils apprennent de longs poèmes qu'ils récitent, en s'aidant d'une lyre, devant un public aristocratique. Ce sont ces aèdes qui se sont d'abord transmis l'œuvre d'Homère. Puis elle fut mise par écrit au VIe siècle av. J.-C. Depuis cette date, le texte est accessible à tous les lecteurs. À Athènes, au IVe siècle, c'est généralement sur des vers d'Homère que les écoliers apprennent à lire. Et c'est ainsi, portée par le papyrus, puis le parchemin, enfin par le papier, que l'*Odyssée* est arrivée jusqu'à nous.

Homère. *Naples, musée national.*

L'Odyssée

HOMÈRE

épopée

ULYSSE SE PRÉSENTE À ALKINOOS

Voilà plusieurs années qu'Ulysse a quitté en vainqueur les rivages de Troie. Mais, poursuivi par la colère du dieu des mers, Poséidon, il erre, de rivage en rivage, sans pouvoir regagner Ithaque, sa patrie. Un jour, à l'issue d'une terrible tempête, il parvient sur une terre inconnue. Là, il se présente à une jeune fille. Il s'agit en fait de la princesse Nausicaa, fille d'Alkinoos, le roi des Phéaciens. Celle-ci emmène Ulysse à la cour de son père qui reçoit avec hospitalité cet hôte inconnu. Au cours du banquet offert en son honneur, Ulysse révèle son identité à Alkinoos.

Je suis Ulysse, le fils de Laërte, dont les ruses
20 Sont fameuses partout et dont la gloire atteint le ciel.
J'habite dans Ithaque[1], dont on aperçoit de loin
La haute cime du Nérite[2] aux feuillages tremblants.
Tout alentour se pressent maintes îles bien peuplées,
Doulichion, Samé, Zacynthe et ses forêts profondes.
25 Ithaque même est basse, et la dernière dans la mer,
Vers le couchant, les autres loin vers l'est et le midi.
Elle n'est que rochers, mais elle nourrit de beaux gars,
Et je ne sais rien de plus doux à voir que cette terre.
Or la divine Calypso[3] me retenait là-bas.
30 Dans ses antres[4] profonds, brûlant de m'avoir comme époux ;

---

1. **Ithaque :** voir la carte p. 172.
2. **Nérite :** la plus haute montagne d'Ithaque.
3. **Calypso :** la nymphe Calypso avait accueilli Ulysse après un naufrage ; tombée amoureuse de lui, elle le retint longtemps dans son île avant de lui rendre sa liberté.
4. **Ses antres :** ses grottes, ses cavernes.

La perfide Circé[1], dans sa demeure d'Aiaia,
Me gardait elle aussi, brûlant de m'avoir comme époux.
Mais mon âme jamais ne se laissa persuader.
C'est que rien n'est plus doux que sa patrie et ses parents,
35 Même pour celui qui habite un plantureux[2] domaine
En quelque pays étranger, bien loin de ses parents.
Eh bien, je vais te dire mon retour et tous les maux
Que Zeus[3] m'a envoyés depuis mon départ de Troade[4].

Chant IX, vers 19-38.

1. **Circé :** cette magicienne, qui vit dans l'île d'Aiaia, a offert elle aussi son amour à Ulysse.
2. **Plantureux :** riche, prospère.
3. **Zeus :** maître des dieux.
4. **Mon départ de Troade :** Ulysse a quitté la Troade (c'est-à-dire l'Asie mineure) à la fin de la guerre de Troie.

REPÈRES

1. À qui parle Ulysse ?
2. Pourquoi juge-t-il nécessaire de se présenter ?
3. Alkinoos ne connaît pas l'homme qui se tient en face de lui. Mais connaît-il le nom d'Ulysse ?

OBSERVATION

4. Sur quels points Ulysse insiste-t-il quand il s'adresse à Alkinoos ?
5. Que dit Ulysse à propos d'Ithaque ? Pourquoi parle-t-il si volontiers de sa patrie ?
6. Relevez les expressions qui soulignent l'éloignement d'Ithaque. Pourquoi Ulysse insiste-t-il autant sur ce point ?
7. Quelles sont les expressions qui montrent le caractère exceptionnel d'Ulysse ?
8. À quel moment Ulysse apparaît-il simplement comme un homme, comparable à tous les autres ?

INTERPRÉTATIONS

9. Comment expliquez-vous le fait qu'Homère fasse parler son personnage tantôt comme un héros, tantôt comme un homme ordinaire ?
10. Quelle idée se fait-on ici de la personnalité d'Ulysse ?

DE LA LECTURE À L'ÉCRITURE

11. Composez librement un texte qui commence par : « Je suis... » et dans lequel vous faites parler un héros que vous admirez. Imaginez la manière dont il se définit et dont il évoque certains épisodes de sa vie qui sont particulièrement remarquables.

ULYSSE AU PAYS DES LOTOPHAGES

Ulysse retrace pour Alkinoos les étapes de l'interminable voyage qui l'a amené jusqu'à lui. Dans cet extrait, il évoque son bref séjour chez des êtres étranges, les Lotophages. Il s'agit bien entendu d'une invention d'Homère : ces Lotophages n'ont jamais existé dans la réalité. C'est une peuplade imaginaire dont l'évocation nous renvoie à un univers de légende.

Alors, pendant neuf jours, des vents funestes m'emportèrent
Sur la mer aux poissons[1]. Le dixième, enfin, on toucha
Le pays des mangeurs de fleurs, appelés Lotophages[2].
85 On descendit à terre, on alla puiser de l'eau fraîche
Et l'on s'empressa de manger auprès des nefs[3] rapides.
Sitôt que l'on eut satisfait la soif et l'appétit[4].
J'envoyai de mes compagnons afin de connaître
À quels mangeurs de pain[5] appartenait cette contrée.
90 J'en choisis deux, et un troisième servit de héraut[6].
Sans attendre ils partirent se mêler aux Lotophages.
Ceux-ci, bien loin de méditer la perte de nos gens,
Leur firent manger du lotos au cours de leur repas.
Or quiconque en goûtait le fruit aussi doux que le miel
95 Ne voulait plus rentrer chez lui ni donner de nouvelles,
Mais s'obstinait à rester là, parmi les Lotophages,

1. **La mer aux poissons :** la mer pleine de poissons, poissonneuse.
2. **Lotophages :** littéralement « mangeurs de lotos ».
3. **Nefs :** les bateaux, les navires.
4. **Sitôt qu'on eut satisfait la soif et l'appétit :** dès qu'on eut fini de boire et de manger.
5. **À quels mangeurs de pain :** à quel type d'hommes.
6. **Héraut :** dans une expédition, le héraut est celui qui sert d'ambassadeur, de porte-parole.

À se repaître de lotos, dans l'oubli du retour[1].
Je dus les ramener de force, en dépit de leurs larmes,
Les traîner aux vaisseaux et les attacher sous les bancs,
100 Tandis que je pressais ceux qui m'étaient restés fidèles
De rembarquer sans plus tarder sur nos rapides nefs,
De peur que le lotos ne fît oublier le retour.
Ils sautèrent à bord, allèrent s'asseoir à leurs bancs,
Et la rame frappa le flot qui blanchit sous les coups.

Chant IX, vers 82-104.

1. **Dans l'oubli du retour :** en oubliant de rentrer chez lui.

REPÈRES

1. Pourquoi Ulysse est-il heureux de toucher terre ?
2. Au début du texte, sait-il où il vient d'arriver ?

OBSERVATION

3. Quels vers décrivent la manière dont les Lotophages se comportent vis-à-vis des compagnons d'Ulysse ? Les Lotophages se présentent-ils comme des ennemis ? Qu'est-ce qui les rend redoutables ?
4. Dans les vers 100 à 104, relevez les expressions révélant qu'Ulysse se dépêche de fuir. Pourquoi montre-t-il tant de hâte ?
5. Quels éléments de la scène appartiennent au merveilleux ?
6. Donnez au moins deux mots formés comme « Lotophage » à partir du verbe grec *phagein* qui signifie « manger ».

INTERPRÉTATIONS

7. D'après ce texte, quelle est la principale caractéristique des êtres humains ? En quoi les Lotophages s'opposent-ils à eux ?
8. Quelles qualités d'Ulysse sont mises en valeur dans cette scène ?
9. Quel est le sens symbolique de cet épisode ? Quel est le premier obstacle qui risque d'empêcher Ulysse et ses compagnons de rentrer chez eux ?

DE LA LECTURE À L'ÉCRITURE

10. Imaginez un dialogue entre deux compagnons d'Ulysse. L'un a mangé du lotos et ne songe plus à regagner sa patrie. L'autre tente de le convaincre de revenir à Ithaque.
11. Un des Lotophages regarde s'éloigner le navire emportant Ulysse et ses compagnons. Quelles sont ses pensées ?

ULYSSE DÉCOUVRE LA TERRE DES CYCLOPES

Autre rivage, autre peuplade... Ulysse, poursuivant son récit à Alkinoos, raconte à présent comment il est parvenu chez les Cyclopes. Ces Cyclopes sont des géants possédant un œil unique au milieu du front (en grec, le mot « Cyclope » signifie proprement « œil rond »). Dans cet extrait, Ulysse décrit la région où vivent ces êtres étranges, si différents des hommes.

105 Le cœur tout affligé[1], nous poursuivîmes notre route
Et touchâmes la terre des Cyclopes, ces géants
Sans foi ni loi, qui s'en remettent aux dieux immortels[2]
Et n'exécutent de leurs mains ni plants ni labourages.
La terre leur fournit de tout sans travaux ni semailles[3] :
110 L'orge, le blé, la vigne avec le vin tiré des grappes
Que Zeus gonfle pour eux en leur en envoyant ses ondées[4].
Ils n'ont point d'agora[5] pour juger ou délibérer ;
Ils vivent établis au sommet des hautes montagnes,
Dans des antres[6] profonds ; chacun, sans s'occuper d'autrui,
115 Exerce son pouvoir sur ses enfants et sur ses femmes.
Ni trop près ni trop loin de cette terre des Cyclopes
S'étend une île assez petite, en face de leur port.
À travers ses forêts pullulent les chèvres sauvages ;
Jamais un pas humain ne vient troubler leur solitude ;

1. **Affligé :** triste.
2. **Qui s'en remettent aux dieux immortels :** les Cyclopes, qui ne travaillent pas, comptent sur les dieux pour les nourrir.
3. **Semailles :** le fait de semer ; ce que l'on sème est la semence (v. 123).
4. **Ses ondées :** ses pluies.
5. **Agora :** la place publique sur laquelle se réunissent les Grecs pour rendre la justice et prendre des décisions politiques.
6. **Antres :** grottes, cavernes.

120 On n'y voit point de ces chasseurs qui prennent tant de peine
À parcourir les cimes les plus hautes des montagnes.
Cette île ne connaît ni le bétail ni la charrue,
Mais, sans semences ni labours, elle est toute l'année
Vide d'humains et ne nourrit que des chèvres bêlantes.
125 Les Cyclopes n'ont point de nefs aux flancs vermillonnés[1]
Ni de bons charpentiers capables de leur fabriquer
Des vaisseaux bien pontés[2] et prompts à toutes les besognes,
Qui vont de port en port, comme ces marins que l'on voit
Franchir le dos des mers[3] afin de commercer entre eux.
130 Avec des gens pareils[4], cette île eût vraiment prospéré.

Chant IX, vers 105-130.

1. **Vermillonnés :** rouges.
2. **Bien pontés :** dont le pont est solide.
3. **Franchir le dos des mers :** traverser les mers.
4. **Avec des gens pareils :** c'est-à-dire si elle avait été habitée par des travailleurs actifs, et non par des Cyclopes.

REPÈRES

1. Pourquoi Ulysse et ses compagnons ont-ils, au début du texte, « *le cœur tout affligé* » (v. 105) ?
2. Qu'est-ce qui caractérise la terre des Cyclopes ?
3. Sur quoi a-t-on davantage de précisions : le décor dans lequel vivent les Cyclopes ou bien leur mode de vie ?

OBSERVATION

4. De quoi se compose l'alimentation des Cyclopes ? Quelles sont leurs richesses ? Que leur manque-t-il ?
5. À quel peuple le narrateur oppose-t-il le peuple des Cyclopes ? Qu'est-ce qui caractérise la vie des hommes ordinaires, par opposition à celle des Cyclopes ?
6. D'après l'auteur, qu'est-ce qu'une société bien organisée ? Comment les décisions y sont-elles prises ? Quels rapports doivent y unir les êtres ?
7. Dans le dernier vers du passage (v. 130), comment l'activité économique (commerce, agriculture) est-elle envisagée ?

INTERPRÉTATIONS

8. Quel jugement sommes-nous amenés à porter sur les Cyclopes ? Nous paraissent-ils dignes d'admiration ?
9. Quelle conception Homère se fait-il de l'activité humaine et de la notion de civilisation ?

DE LA LECTURE À L'ÉCRITURE

10. Vous découvrez une île peuplée par des êtres différents des hommes. Décrivez cette île en insistant sur ses aspects les plus étonnants.
11. Ulysse voyage dans le temps et découvre nos villes. Comment les décrit-il ? Quel jugement porte-t-il sur notre civilisation ?

Ulysse part en reconnaissance

En explorateur digne de ce nom, Ulysse laisse prudemment l'ensemble de la flotte à l'abri des regards. Puis il part avec quelques-uns de ses compagnons vers cette terre inconnue. Il s'agit à présent de faire connaissance avec les habitants de la région.

170 Lorsque au petit matin parut l'aurore aux doigts de rose[1],
J'appelai tous mes gens à l'assemblée[2] et je leur dis :
« Restez ici pour le moment, fidèles compagnons.
De mon côté j'emmènerai ma nef[3] et mes rameurs ;
Je veux aller tâter ces gens[4] et savoir ce qu'ils sont,
175 Un peuple de bandits et de sauvages sans justice,
Ou des êtres hospitaliers[5] qui respectent les dieux. »
Sur ces mots, je montai à bord et ordonnai aux miens
D'embarquer avec moi et de détacher les amarres.
Ils sautèrent à bord, allèrent s'asseoir à leurs bancs,
180 Et la rame frappa le flot qui blanchit sous les coups.
Comme nous touchions au pays dont nous étions si près,
Nous vîmes à sa pointe extrême, et non loin de la mer,
Sous des lauriers, une caverne ; elle servait d'étable
À un troupeau de brebis et de chèvres ; tout autour
185 Courait un grand mur fait d'énormes blocs fichés en terre,

1. **L'aurore aux doigts de rose :** formule fréquente chez Homère. Ce sont peut-être les rayons du soleil levant que l'auteur compare à des doigts rosés.
2. **À l'assemblée :** Ulysse réunit ses hommes pour leur expliquer ce qu'il projette.
3. **Ma nef :** mon bateau.
4. **Tâter ces gens :** faire leur connaissance, découvrir leur caractère, leurs coutumes.
5. **Hospitaliers :** l'hospitalité est, pour les Grecs, un devoir sacré.

De pins à la cime élancée et de chênes touffus.
Là vivait, isolé de tous, un géant qui menait
Paître[1] au loin ses troupeaux, ne fréquentant personne,
Mais restant toujours à l'écart et ne pensant qu'au crime.
190 C'était un monstre gigantesque ; il ne ressemblait pas
À un mangeur de pain[2], mais bien plutôt à un pic boisé
Qu'on voit parfois se détacher sur le sommet des monts.
[...]
Nous eûmes vite trouvé sa caverne. Il n'était pas
Chez lui, il était au pacage[3] avec ses gras moutons.
Pénétrant à l'intérieur, nous fîmes la revue[4] :
Fromages sur tous les clayons[5] ; agnelets et chevreaux
220 Dans les enclos bondés (chaque âge avait sa stalle[6] à part :
D'un côté étaient les aînés, de l'autre les cadets,
Plus loin les nouveau-nés) ; vases remplis de petit-lait[7] ;
Terrines et seaux façonnés qui lui servaient à traire.
Alors mes compagnons me supplièrent instamment
225 De prendre les fromages, puis de tirer des enclos
Agnelets et chevreaux et de regagner sans retard
Le prompt navire, afin de repartir sur l'onde amère.
C'est moi qui refusai ; ah ! qu'il eût mieux valu, pourtant !
Mais je voulais le voir et savoir ce qu'il m'offrirait,
230 Cet hôte. Il n'allait pas se montrer tendre envers les miens.

Chant IX, vers 170-192, 216-230.

1. **Paître :** brouter.
2. **Un mangeur de pain :** Homère se sert souvent de cette formule pour désigner l'homme.
3. **Pacage :** lieu où l'on fait paître, où l'on fait brouter les bêtes.
4. **Nous fîmes la revue :** nous regardâmes en détail, nous examinâmes.
5. **Clayons :** petites claies, treillage sur lequel on fait égoutter et sécher les fromages.
6. **Stalle :** dans une étable, compartiment réservé à une ou à plusieurs bêtes.
7. **Petit-lait :** liquide qui se sépare du lait quand celui-ci coagule.

REPÈRES

1. Qu'est-ce qui caractérise le Cyclope et l'endroit où il vit ?
2. Quels motifs poussent Ulysse et ses compagnons à se rendre dans la demeure du Cyclope ?

OBSERVATION

3. Quels sont les vers qui décrivent le Cyclope ? À quoi est-il comparé ? Avons-nous beaucoup d'informations sur lui ?
4. Pourquoi Ulysse peut-il affirmer que le Cyclope « *ne pense qu'au crime* » (v. 189) ? Comment le sait-il ?
5. Que trouve-t-on dans la demeure du Cyclope ? Comment sont rangées bêtes et marchandises ?
6. Quels sont les éléments qui font naître l'angoisse ?
7. Quelle est l'attitude d'Ulysse au cours de ce passage ? Comment ses compagnons réagissent-ils ?

INTERPRÉTATIONS

8. À votre avis, pourquoi le personnage le plus important du passage, le Cyclope, n'est-il aperçu que de loin ?
9. Ulysse apparaît souvent au cours de l'*Odyssée* comme un modèle de prudence et de sagesse. Est-ce le cas ici ?

DE LA LECTURE À L'ÉCRITURE

10. Vous êtes un compagnon d'Ulysse. Expliquez ce que vous ressentez en voyant au loin la silhouette du Cyclope, puis en pénétrant dans sa grotte.
11. Imaginez un dialogue entre Ulysse et un de ses hommes qui lui conseille de quitter la grotte sans attendre le retour du Cyclope.
12. Imaginez une suite à ce passage.

Le Cyclope rentre chez lui

Voilà Ulysse et ses compagnons installés chez le Cyclope. Sauront-ils lui parler et s'en faire un ami ? Et lui, quels sentiments va-t-il éprouver face à des hommes qu'il ne connaît pas ? Le mystère est entier. Malgré tout, Ulysse est confiant : il pense que le Cyclope respectera les lois sacrées de l'hospitalité. Pour les Grecs, c'est en effet un devoir religieux que d'accueillir les voyageurs et de les traiter avec respect et humanité.

On fit du feu, un sacrifice[1], et, prenant les fromages,
On mangea tous assis dans la caverne, en l'attendant.
Il revint du pacage[2], avec une très grosse charge
De bois sec qu'il avait prévu pour le repas du soir.
235 Il la jeta dans la caverne avec un tel fracas
Que la panique nous chassa au plus profond de l'antre[3].
Puis sous l'immense voûte il fit entrer tout le troupeau
Des grasses brebis qu'il avait à traire ; quant aux mâles,
Boucs et béliers, il les laissa dehors dans leur enclos.
240 Puis, soulevant un bloc énorme, il en boucha l'entrée ;
Même vingt-deux solides chariots à quatre roues
Ne seraient parvenus à le déplacer sur le sol,
Si colossal était le bloc dont il boucha l'entrée.
Il s'installa pour traire chèvres et brebis bêlantes,
245 Dans l'ordre, et lâcha le petit sous le pis de chacune.
Ayant fait cailler aussitôt la moitié du lait[4] blanc,

1. **Sacrifice :** dans l'*Odyssée*, les repas en commun sont régulièrement précédés d'un sacrifice aux dieux.
2. **Pacage :** lieu où l'on fait paître, où l'on fait brouter les bêtes.
3. **Antre :** grotte, caverne.
4. **Ayant fait cailler aussitôt la moitié du lait :** pour en faire du fromage.

Il l'égoutta et le plaça dans des paniers de jonc,
Cependant qu'il gardait l'autre moitié dans ses terrines[1],
Pour le boire à son heure ou pendant le repas du soir.
250 Quand il eut achevé de se donner à ces travaux,
Il ranima son feu, nous vit et nous interrogea :
« Qui êtes-vous ? d'où venez-vous par les routes humides[2] ?
Faites-vous le commerce ? errez-vous sans but sur la mer,
Pareils à ces pirates qui s'en vont à l'aventure,
255 Risquant leur vie et ravageant les côtes étrangères ? »
À ces mots, notre cœur se brisa une fois de plus,
Sous l'épouvante de ce monstre et de sa voix terrible.

Chant IX, vers 231-257.

1. **Terrines :** plats en terre.
2. **Par les routes humides :** par les mers.

LE CYCLOPE RENTRE CHEZ LUI

REPÈRES

1. Quels sont les différents éléments qui effraient Ulysse et ses compagnons ?
2. À quel moment le Cyclope découvre-t-il leur présence ?

OBSERVATION

3. Quels éléments traduisent le gigantisme du Cyclope ?
4. Pourquoi Ulysse et ses compagnons se retrouvent-ils pris au piège ?
5. De quelle manière sont soulignées la fragilité des hommes et la peur qu'ils éprouvent ?
6. Un groupe de mots revient à deux reprises (v. 234 et 249). Lequel ? Quel est l'intérêt de cette précision ?
7. Comment le déséquilibre entre le calme du Cyclope et l'effroi des hommes est-il suggéré dans le texte ?

INTERPRÉTATIONS

8. Le Cyclope cherche-t-il à effrayer Ulysse et ses compagnons ? Se montre-t-il menaçant ?
9. Quelle idée se fait-on ici du caractère du Cyclope ?
10. Observez la progression du passage et la manière dont la tension monte au fil du texte.

DE LA LECTURE À L'ÉCRITURE

11. Imaginez la réponse d'Ulysse aux questions du Cyclope. En composant votre texte, tenez compte du fait qu'Ulysse cherche à faire bonne impression au Cyclope et peut-être à le flatter.
12. Imaginez qu'Ulysse raconte au Cyclope une histoire pour justifier sa présence et celle de ses hommes dans sa demeure.

UN FESTIN DE CHAIR HUMAINE

Contrairement à toute attente, le Cyclope n'accueille pas les voyageurs à sa table. Il ne leur offre pas de banquet, ce qui serait conforme aux lois de l'hospitalité. Tout au contraire, il dévore ses propres hôtes, montrant par là sa sauvagerie et sa cruauté. Ulysse et ses compagnons assistent malgré eux à ce spectacle horrible.

Il bondit et, jetant les bras sur mes compagnons,
En saisit deux d'un coup et les fracassa contre terre
290 Comme des chiots ; leur cervelle, en giclant, mouilla le sol.
Il les dépeça[1] membre à membre et en fit son repas,
Les dévorant tel un lion nourri dans les montagnes ;
Tout y passa : entrailles, chairs et os remplis de moelle.
Nous autres, en pleurant, nous élevions nos mains vers Zeus[2],
295 Le cœur désemparé face à pareille atrocité.
Puis, lorsque le Cyclope eut bien rempli sa panse[3] énorme
De cette chair humaine arrosée avec du lait pur[4],
Il s'allongea au fond de l'antre, en travers de ses bêtes.
Alors mon brave cœur me conseilla de m'approcher
300 Et de tirer le glaive aigu qui pendait à ma cuisse,
Pour le planter là où le diaphragme[5] touche au foie[6],

1. **Dépeça :** mit en pièces, découpa en morceaux.
2. **Zeus :** maître des Dieux.
3. **Sa panse :** son ventre, son estomac (quand on l'emploie à propos d'un homme, le terme est familier et péjoratif).
4. **Avec du lait pur :** le Cyclope boit, à son dîner, le lait de ses chèvres (voir p. 39, v. 248-249).
5. **Diaphragme :** muscle mince qui sépare le thorax et l'abdomen.
6. **Foie :** chez les anciens Grecs, le foie était considéré comme le siège de la vie.

En palpant bien l'endroit. Mais quelque chose m'arrêta :
N'allions-nous pas périr aussi d'une cruelle mort,
Faute de pouvoir déplacer avec nos seules mains
305 L'énorme bloc[1] dont il avait bouché la haute entrée ?
Ainsi gémissions-nous en attendant l'aube divine[2].
Lorsque au petit matin parut l'aurore aux doigts de rose[3],
Il fit du feu, puis alla traire ses belles brebis,
Dans l'ordre, et lâcha le petit sous le pis de chacune.
310 Quand il eut achevé de se donner[4] à ces travaux,
Il prit encor d'un coup deux de mes gens pour son repas ;
Et dès qu'il eut mangé, il fit sortir ses gras troupeaux,
Après avoir sans peine ôté le gros bloc de l'entrée,
Qu'ensuite il replaça comme un couvercle de carquois[5].
315 À grands coups de sifflet, il emmena ses gras moutons
Dans la montagne, et je restai à rouler ma vengeance,
Pour le punir, si Athéna[6] m'en accordait la gloire.

Chant IX, vers 288-317.

1. **L'énorme bloc :** le Cyclope ferme l'entrée de sa grotte à l'aide d'une pierre gigantesque, si lourde qu'il est seul à pouvoir la déplacer.
2. **L'aube divine :** dans la mythologie, l'aurore est une déesse.
3. **L'aurore aux doigts de rose :** formule fréquente chez Homère (voir note 1, p. 35).
4. **Se donner :** se consacrer.
5. **Carquois :** étui qui sert à ranger des flèches.
6. **Athéna :** déesse qui protège Ulysse.

REPÈRES

1. Où se trouvent Ulysse et ses compagnons au début du passage ? Pourquoi ?
2. Avant ce passage, Ulysse et ses compagnons savaient-ils que le Cyclope pouvait les dévorer ? De quoi celui-ci semblait-il se nourrir ?
3. Ulysse assiste avec horreur au festin du Cyclope. À partir de quel moment commence-t-il à réagir ?

OBSERVATION

4. De quelle manière le repas du Cyclope est-il décrit (v. 288-293) ? Quel est l'effet produit ? Relevez, dans la description du festin, quelques détails particulièrement frappants.
5. À quoi le Cyclope et les hommes qu'il dévore sont-ils comparés ? Commentez ces images.
6. Par quel procédé le narrateur nous fait-il partager les pensées d'Ulysse ?
7. Pourquoi Ulysse renonce-t-il à tuer le Cyclope ?

INTERPRÉTATIONS

8. Comment l'auteur parvient-il à composer une scène d'horreur ?
9. Quelle est l'attitude du Cyclope pendant tout le passage ? Comment le juge-t-on ?
10. Ulysse se comporte-t-il ici en héros ?

DE LA LECTURE À L'ÉCRITURE

11. Zeus, ému par la supplication d'Ulysse et de ses compagnons, décide d'intervenir. Racontez la scène.
12. Imaginez un rêve que fait le Cyclope, tandis qu'Ulysse le regarde dormir.

ULYSSE PASSE À L'ATTAQUE

Ulysse est trop actif et trop courageux pour ne pas essayer de reconquérir sa liberté. Il établit donc un plan de combat, en choisissant d'attaquer le Cyclope par son point faible. Mais il sait qu'il n'a pas droit à l'erreur : si le Cyclope surprend cette manœuvre, Ulysse et les siens seront impitoyablement dévorés, comme l'ont été plusieurs de leurs compagnons.

Or voici le projet que mon cœur trouva le plus sage.
Le Cyclope avait laissé contre un parc[1] un gros gourdin
320 En olivier, qu'il avait cassé vert[2] pour s'en servir
Une fois sec. En le voyant, nous l'avions comparé
Au mât d'un de ces noirs vaisseaux à vingt bancs de rameurs,
D'un de ces grands bateaux qui vont sur le gouffre des mers[3] ;
C'était, nous semblait-il, même grandeur, même calibre.
325 Je m'approchai pour en couper la longueur d'une brasse[4]
Et je le tendis à mes gens pour en ôter les nœuds[5].
Après qu'ils l'eurent bien poli, j'en vins tailler la pointe,
Que je mis moi-même à durcir dans le feu dévorant ;
Puis je cachai soigneusement ce pieu sous le fumier,
330 Répandu à foison[6] à travers toute la caverne.
Après cela, je fis tirer au sort ceux de mes gens
Qui prendraient avec moi le risque de lever le pieu

1. **Un parc :** un des enclos dans lequel le Cyclope enferme ses bêtes.
2. **Vert :** on oppose le bois vert, encore frais et plein de sève, au bois sec.
3. **Sur le gouffre des mers :** sur les mers, qui contiennent des gouffres.
4. **La longueur d'une brasse :** la longueur correspondant à deux bras ouverts à l'horizontale.
5. **Nœuds :** bosses qui se forment sur la partie externe d'un arbre.
6. **À foison :** en grande quantité.

Pour le vriller[1] dans l'œil, quand le doux sommeil lui viendrait.
Le sort désigna ceux que j'aurais moi-même choisis ;
335 Ils étaient quatre, auxquels je m'adjoignis[2] comme cinquième.
Il revint vers le soir, ramenant son troupeau laineux[3].
Mais cette fois il poussa ses brebis dans la caverne,
Sans en laisser aucune au-dehors dans le vaste enclos.
Avait-il son idée, ou était-ce un ordre du ciel ?
340 Puis, soulevant le bloc énorme[4], il en boucha l'entrée,
S'assit pour traire ses brebis et ses chèvres bêlantes,
Dans l'ordre, et lâcha le petit sous le pis de chacune.
Quand il eut achevé de se donner[5] à ces travaux,
Il prit encor d'un coup deux de mes gens pour son repas.
345 Alors, tenant entre les mains une auge[6] de vin noir,
Je m'approchai de lui et l'interpellai de la sorte :
« Tiens, Cyclope, bois ça pour arroser ces chairs humaines ;
Tu verras quel breuvage recelait notre vaisseau.
En venant te l'offrir, j'espérais bien que ta pitié
350 Nous remettrait chez nous. Mais ta fureur n'a plus de bornes.
Malheureux ! penses-tu qu'à l'avenir jamais personne
Revienne encor te voir, sachant le mal que tu as fait ? »
Alors, prenant mon auge, il la vida. Ravi de boire
Un nectar[7] si délicieux, il m'en redemanda :
355 « Donne encor, sois gentil ! et dis-moi ton nom, tout de suite !
Je tiens à offrir à mon hôte un présent qui lui plaise.
La terre à blé nous donne bien le vin des grosses grappes
Que Zeus gonfle pour nous en leur envoyant ses ondées[8] ;

1. **Vriller :** faire entrer en tournant.
2. **Je m'adjoignis :** je m'ajoutai.
3. **Son troupeau laineux :** ses brebis.
4. **Le bloc énorme :** qui ferme l'entrée de la grotte.
5. **Se donner :** se consacrer.
6. **Une auge :** un bassin, un vaste récipient. Ulysse avait emporté du vin avec lui, prévoyant qu'il lui serait sans doute utile.
7. **Un nectar :** une boisson exquise.
8. **Ondées :** pluies, averses.

Mais ça, c'est de l'essence[1] de nectar et d'ambroisie[2] ! »
360 À ces mots, je lui reversai du vin aux sombres feux ;
Trois fois je le servis, trois fois il but sans réfléchir.
Puis, quand le vin eut pénétré jusqu'au cœur du Cyclope,
Je l'abordai en lui disant ces mielleuses paroles :
« Tu veux savoir mon nom le plus connu, Cyclope ? Eh bien,
365 Voici ; mais fais-moi le présent que tu m'avais promis.
Pour moi, je m'appelle Personne, et Personne est le nom
Que mon père et ma mère et tous mes compagnons me donnent. »
À ces mots, il me répondit d'un cœur impitoyable :
« Je mangerai donc Personne en dernier, après les siens ;
370 Le reste ira devant[3] : tel sera mon présent d'accueil ! »
À ces mots, il se renversa et tomba sur le dos ;
Puis sa nuque épaisse fléchit, et le sommeil vainqueur
Le saisit tout entier ; mais sa gorge rendait du vin
Et des morceaux de chair humaine ; et il rotait, l'ivrogne !
375 Alors j'enfouis le pieu sous le monceau[4] de cendres
Et le laissai chauffer, tandis que j'exhortai[5] mes gens,
Afin que nul ne s'esquivât sous l'effet de la peur.
Quand le pieu d'olivier fut sur le point de s'enflammer,
(Tout vert[6] qu'il fût, il répandait une lueur terrible),
380 Je le tirai du feu et courus l'apporter ; mes gens
Se tenaient près de moi ; le ciel décuplait[7] notre audace.
Soulevant le pieu d'olivier à la pointe acérée[8],
Ils l'enfoncèrent dans son œil ; moi, je pesais d'en haut
Et je tournais. Quand on perce une poutre de navire
385 À la tarière[9], en bas les aides tirent la courroie

1. **L'essence :** la meilleure partie.
2. **De nectar et d'ambroisie :** boissons exquises, réservées aux dieux.
3. **Le reste ira devant :** les autres seront dévorés avant lui.
4. **Le monceau :** le tas.
5. **J'exhortai :** j'encourageai.
6. **Vert :** voir la note 2, p. 44.
7. **Décuplait :** multipliait par dix.
8. **Acérée :** dure, tranchante.
9. **Tarière :** outil de fer dont les charpentiers, les menuisiers se servent pour faire des trous dans une pièce de bois ou dans la pierre.

Par les deux bouts, et le foret[1] ne cesse de tourner :
Ainsi, tenant dans l'œil le pieu affûté[2] à la flamme,
Nous tournions, et le sang coulait autour du bois brûlant.
Partout, sur la paupière et le sourcil, grillait l'ardeur
390 De la prunelle[3] en feu, et ses racines[4] grésillaient.
Comme lorsque le forgeron plonge une grande hache
Ou un merlin[5] dans de l'eau froide afin de le tremper[6] ;
Le fer crie et gémit, et c'est de là que vient sa force :
Ainsi son œil sifflait autour de ce pieu d'olivier.
395 Il poussa d'affreux hurlements ; la roche en retentit ;
Mais nous, pris de frayeur, nous nous étions déjà sauvés.
Alors il s'arracha de l'œil le pieu souillé de sang
Et le rejeta loin de lui d'une main forcenée[7].
Puis d'appeler à grands cris les Cyclopes qui vivaient
400 Dans les grottes des environs, sur les sommets venteux[8].
En entendant ses cris, ils accoururent de partout ;
Plantés devant la grotte, ils voulaient connaître ses peines :
« Polyphème[9], pourquoi jeter ces cris d'accablement ?
Pourquoi nous réveiller au milieu de la nuit divine ?
405 Serait-ce qu'un mortel emmène malgré toi tes bêtes ?
Serait-ce toi qu'on veut tuer, ou par ruse ou par force ? »
Le puissant Polyphème leur cria du fond de l'antre :
« Par ruse, et non par force ! et qui me tue, amis ? Personne ! »
Et les Cyclopes de répondre par ces mots ailés[10] :
410 « Personne ? aucune violence ? et seul comme tu l'es ?

---

1. **Foret :** pointe qui permet de perforer une surface, de percer un trou dans une matière dure. On dit aussi mèche, vrille.
2. **Affûté :** pointu, aiguisé.
3. **L'ardeur de la prunelle :** sa prunelle ardente, brûlante.
4. **Ses racines :** le fond de l'œil.
5. **Merlin :** hache qui sert à fendre le bois.
6. **Tremper :** plonger du fer rougi dans un liquide froid pour le faire durcir.
7. **Forcenée :** furieuse.
8. **Venteux :** exposés au vent, battus par les vents.
9. **Polyphème :** nom du Cyclope aveuglé par Ulysse.
10. **Ces mots ailés :** ces mots rapides. La formule est fréquente chez Homère.

Ton mal doit venir du grand Zeus[1], et nous n'y pouvons rien.
Invoque plutôt Poséidon[2], notre roi, notre père ! »
Ils s'éloignèrent sur ces mots, et je ris en moi-même :
Mon nom et mon habile tour les avaient abusés !
415 Gémissant sous le coup de la douleur, notre Cyclope
Avait, en tâtonnant, levé la pierre de l'entrée
Et s'était assis en travers, les deux mains étendues,
Pour barrer le passage à qui voudrait suivre ses bêtes,
Me supposant assez naïf pour prendre ce parti.
420 Quant à moi, je songeai alors au moyen le plus sûr
De nous arracher à la mort, mes compagnons et moi.
Je tissai[3] toutes sortes de calculs et d'artifices,
Car nos jours étaient menacés, et le désastre proche.

Chant IX, vers 318-423.

1. **Zeus :** maître des dieux.
2. **Poséidon :** dieu de la mer et père des Cyclopes.
3. **Je tissai :** je méditai, je préparai.

REPÈRES

1. Quelle est la situation d'Ulysse et de ses compagnons au début du passage ?
2. Pourquoi Ulysse ne cherche-t-il pas à tuer le Cyclope ?
3. Quelles sont les différentes étapes de l'intervention d'Ulysse ?

OBSERVATION

4. Comment se manifeste la cruauté du Cyclope ?
5. Quelles sont les expressions qui soulignent l'intelligence d'Ulysse ? En quoi se montre-t-il prévoyant ?
6. Quelles expressions indiquent qu'Ulysse est aidé par le sort ou l'intervention des dieux ?
7. À quel type d'images le narrateur a-t-il recours ?

INTERPRÉTATIONS

8. De quelle manière le suspense est-il maintenu ?
9. Pourquoi le narrateur fournit-il dans ce texte autant de précisions techniques (v. 378-394) ?
10. La figure d'Ulysse se modifie-t-elle au cours de cet extrait ? En quel sens ?

DE LA LECTURE À L'ÉCRITURE

11. Des années après ces événements, devenu vieux, le Cyclope raconte la manière dont il a été aveuglé par Ulysse. Décrivez la scène.
12. Imaginez que vous vous appeliez « Personne ». Quels avantages, quels inconvénients ce nom présente-t-il ? Racontez une ou plusieurs anecdotes particulièrement savoureuses.

UNE NOUVELLE DIFFICULTÉ À RÉSOUDRE

En aveuglant le Cyclope, Ulysse a considérablement affaibli son ennemi. Tout n'est pas fait pour autant. Ulysse ne sera vraiment tiré d'affaire que lorsqu'il aura quitté la caverne de Polyphème. Or celle-ci est fermée par une pierre si lourde que seul le Cyclope peut la repousser. Pour sortir de la grotte, il va donc falloir qu'Ulysse imagine une nouvelle ruse.

Or voici le dessein que mon cœur trouva le meilleur.
425 Les béliers bien nourris avaient une épaisse toison[1] ;
Grands et beaux, ils portaient une laine violacée[2].
Sans bruit, je les liai avec les osiers[3] bien tressés
Qui servaient de litière[4] à ce monstre sans foi ni loi.
Je les mis trois par trois ; celui du milieu qui portait l'homme,
430 Et les deux autres le flanquaient, assurant son salut.
Ainsi chaque homme se faisait porter par trois béliers.
Il me restait, à moi, le bélier de loin le plus fort.
Je le pris par les reins, puis je me coulai[5] sous son ventre,
Dont j'empoignai à pleines mains la laine merveilleuse,
435 Et je me cramponnai à sa toison sans lâcher prise.
Puis, tout en gémissant, l'on attendit l'aube divine.
Lorsque au petit matin parut l'aurore aux doigts de rose,
Les boucs et les béliers partirent pour le pâturage.

1. **Toison :** ensemble des poils d'un mouton.
2. **Violacée :** épithète fréquemment utilisée par Homère.
3. **Osiers :** petite espèce de saules dont les rameaux, très souples, permettent de faire des liens.
4. **Litière :** lit.
5. **Je me coulai :** je me glissai.

Mais les brebis, n'étant plus traites[1], bêlaient dans les parcs ;
440 Leurs pis leur faisaient mal. Torturé de douleurs cruelles,
Le Cyclope s'en vint tâter le dos de chaque bête
Qui passait devant lui. Mais le sot ne put deviner
Ce qui pendait dessous, dans l'épaisse toison des bêtes.
Le dernier du troupeau, mon bélier, marchait vers la porte,
445 Alourdi par sa laine et par mon poids d'homme rusé.
Le puissant Polyphème[2], alors, le tâta et lui dit :
« Doux bélier, qu'y a-t-il, pour que tu sortes le dernier
De l'antre ? Jusqu'ici tu ne restais pas en arrière ;
Tu étais de loin le premier à paître[3] pas à pas
450 Les tendres fleurs des prés, le premier à descendre au fleuve,
Le premier à rejoindre ton enclos, le soir venu.
Et te voilà le dernier du troupeau ! Pleurerais-tu
L'œil de ton maître ? Un scélérat[4], aidé de gens perfides,
Me l'a crevé, après m'avoir terrassé par le vin.
455 Mais il n'est pas encor tiré d'affaire, ce Personne !
Ah ! si tu partageais ma peine et pouvais t'exprimer,
Pour me dire en quel lieu il se dérobe à ma fureur,
Je ferais gicler sa cervelle à travers ma caverne
En lui brisant le crâne au sol, et j'oublierais un peu
460 Les maux qu'est venu m'apporter ce vaurien de Personne ! »
Il dit et lâcha le bélier pour le faire sortir.
Aussitôt qu'on fut un peu loin de l'antre et de la cour,
Je me dégageai le premier, puis déliai mes hommes.
Bien vite l'on poussa les gras moutons aux pattes grêles[5],
465 Et ce n'est qu'après cent détours qu'enfin nous rejoignîmes
Notre vaisseau. Quel bonheur pour nos gens de nous revoir,
Réchappés à la mort ! quels cris, et quels pleurs sur les autres !
Mais, fronçant les sourcils, je leur fis signe de cesser

1. **N'étant plus traites :** les brebis bêlent parce que leur pis, gonflé de lait, leur fait mal.
2. **Polyphème :** nom du Cyclope aveuglé par Ulysse.
3. **Paître :** brouter.
4. **Scélérat :** criminel.
5. **Grêles :** maigres.

Les pleurs et je leur demandai d'embarquer au plus vite
470 Tous ces moutons laineux, puis de voguer sur l'onde amère.
Ils sautèrent à bord, allèrent s'asseoir à leurs bancs,
Et la rame frappa le flot qui blanchit sous les coups.
Mais comme on arrivait au point d'où la voix porte encore[1],
J'adressai au Cyclope, alors, ces paroles railleuses[2] :
475 « Cyclope, eh non ! ce n'étaient pas les compagnons d'un lâche
Que tu as mangés dans ta grotte en usant de sévices[3] !
Tes crimes ne pouvaient que se retourner contre toi,
Cruel qui n'as pas craint de dévorer chez toi des hôtes[4] !
Aussi Zeus et les autres dieux t'en ont-ils bien puni ! »

Chant IX, vers 424-479.

Ulysse a donc triomphé de son ennemi. Pour jouir pleinement de sa victoire, il révèle à Polyphème son véritable nom : Ulysse et non Personne ! Cette imprudence réveille la colère de Poséidon, dieu de la mer et père des Cyclopes. Celui-ci va déchaîner contre le bateau d'Ulysse une terrible tempête.

1. **D'où la voix porte encore :** Ulysse se dépêche de parler pendant qu'il est encore à portée de voix.
2. **Railleuses :** moqueuses.
3. **Sévices :** traitements cruels.
4. **Qui n'as pas craint de dévorer chez toi des hôtes :** l'hospitalité était en Grèce un devoir sacré. Ceux qui ne le respectaient pas devaient craindre la colère de Zeus (voir le vers suivant).

Ulysse aveugle Polyphème, qui se laisse enivrer.
Vase de Cyrène (détail). Paris, Bibliothèque nationale.

EXAMEN MÉTHODIQUE

UNE NOUVELLE DIFFICULTÉ À RÉSOUDRE

REPÈRES

1. Pourquoi Ulysse et ses compagnons sortent-ils de la grotte en se dissimulant sous le ventre des moutons ?
2. À quel moment du passage le suspense est-il le plus grand ?

OBSERVATION

3. Relevez quelques termes qui caractérisent le Cyclope. Est-on parfois tenté de le plaindre, au cours de ce passage ? Pourquoi ?
4. Relevez quelques procédés qui rendent le récit vivant.
5. Comparez les paroles prononcées par le Cyclope et celles que lui lance Ulysse. En quoi s'opposent-elles ?
6. Quand Ulysse s'adresse au Cyclope (v. 475-479), fait-il preuve de prudence ? Dans un texte précédent, lui est-il déjà arrivé de témoigner trop de confiance en lui ?

INTERPRÉTATIONS

7. Quels traits de caractère se révèlent dans l'intervention d'Ulysse (v. 475-479) ?
8. À travers ce passage, quelle idée se fait-on des rapports qu'entretient Ulysse avec ses hommes ?
9. Que symbolise la victoire d'Ulysse sur le Cyclope ?

DE LA LECTURE À L'ÉCRITURE

10. Tout est possible dans un récit comme celui d'Homère... Imaginez que le bélier du Cyclope puisse parler et réponde soudain aux questions de son maître. Que dirait-il ? Qu'arriverait-il alors ?
11. Que pourrait répondre le Cyclope aux dernières paroles d'Ulysse ?
12. Ulysse a eu tort de narguer le Cyclope. Celui-ci décide de se venger. Comment peut-il s'y prendre ?

Le face-à-face de Polyphème et d'Ulysse occupe une grande partie du chant IX de l'*Odyssée*. Ces deux personnages – comme David et Goliath dans la Bible, comme l'Ogre et le petit Poucet du conte de Perrault – s'opposent en tout point. Ils s'affrontent en un combat inégal, qui se clôt, de manière heureuse, par le triomphe de l'intelligence habile sur la force brute.

L'évolution de Polyphème : l'affirmation de la cruauté

À sa première apparition, Polyphème est effrayant par sa taille, qui laisse deviner une force extraordinaire. Mais rien ne signale d'entrée de jeu sa cruauté. Il règne dans sa caverne un ordre rassurant : l'occupant des lieux semble un honnête pasteur, plutôt qu'un être sanguinaire. Même après s'être entretenu avec le Cyclope, Ulysse persiste à croire que ce géant étrange, pourvu d'un œil unique, lui offrira un cadeau d'hospitalité. Il est vrai que les premières paroles que lui adresse Polyphème n'ont rien de redoutable. Ce sont des questions banales, par lesquelles le colosse témoigne même d'une certaine curiosité à l'égard de ses visiteurs (v. 252-255) et dans lesquelles on ne trouve nulle trace d'hostilité.

Pourtant, le Cyclope ne tarde pas à prouver sa sauvagerie. Bientôt, s'emparant des compagnons d'Ulysse, il les dévore tout crus. Par la suite, il s'enivre et donne alors un spectacle repoussant (v. 373-374).

Polyphème au « *cœur impitoyable* » (v. 368) fait preuve enfin d'une ironie cruelle. Il laisse croire à ses visiteurs qu'il respecte les lois de l'hospitalité (v. 356), mais il n'offre à Ulysse que la triste perspective d'être dévoré après tous ses hommes. Funeste « *présent* », en vérité, qui montre toute l'inhumanité de Polyphème !

La métamorphose d'Ulysse : de l'imprudence à la sagesse

Si, au cours du chant IX, Polyphème dévoile progressivement sa cruauté, Ulysse, lui, gagne peu à peu en sagesse et en habileté. Au début du chant, Ulysse semble agir de manière irréfléchie. Il insiste, au mépris de toute prudence, pour rencontrer les Cyclopes. Plus tard, comme ses compagnons lui recommandent de quitter au plus vite la caverne de Polyphème (v. 224-227), il fait la sourde oreille. C'est, là encore, une sottise, il en convient lui-même par la suite (v. 228).

Quand Polyphème rentre chez lui, Ulysse et ses compagnons s'enfuient dans le fond de la caverne. Bientôt, ils assistent, terrorisés et impuissants, à l'horrible festin. Dominé par les événements, Ulysse ne se comporte pas ici en chef responsable et avisé. Mais bientôt, il reprend l'initiative et fait tout pour que ses hommes et lui-même aient la vie sauve : il enivre le Cyclope, il l'aveugle, trouve le moyen de sortir de la caverne, sous le ventre des moutons, et échappe enfin aux autres Cyclopes grâce au nom de « Personne » qu'il s'est astucieusement attribué.

Ulysse doit sa victoire à une parfaite combinaison de ruses dont chacune porte ses fruits. Le récit est ponctué de formules qui le montrent tantôt en train de méditer (v. 316), tantôt en train de s'interroger sur le meilleur parti à prendre (v. 318, 424). Ulysse est un homme de réflexion autant qu'un homme d'action.

Deux personnages en opposition

Ulysse et Polyphème s'opposent au moins par trois aspects. Le Cyclope est un être solitaire, qui ne se lie même pas avec ses semblables : il vit « *isolé de tous [...] ne fré-*

quentant personne » (v. 187-188). Ulysse en revanche est proche de ses compagnons et ne parvient à triompher du monstre que par un labeur collectif : il lui faut l'aide de quatre hommes pour aveugler son ennemi.
Ulysse et le Cyclope divergent encore sur le terrain religieux. Polyphème méprise les dieux, qui lui fournissent pourtant sa nourriture. Il bafoue les lois sacrées de l'hospitalité. Ulysse en revanche demande l'aide des dieux et s'en remet toujours à leur puissance. À la fin du passage, il proclame lui-même la supériorité des habitants de l'Olympe : « *Zeus et les autres dieux t'[...] ont bien puni* », lance-t-il à son ennemi (v. 479). C'est, on le voit, un modèle de piété.
Polyphème, enfin, est un être inhumain, décrit comme « *un monstre gigantesque [...] ne ressembl[ant] pas à un mangeur de pain, mais bien plutôt à un pic boisé* » (v. 190-191). Face à ce personnage colossal, Ulysse n'a pour lui que son « *poids d'homme rusé* » (v. 445). Finalement, l'inhumain Polyphème sera tout étonné d'avoir été vaincu par un homme ordinaire, qui n'est, à côté de lui, qu'un « *gringalet, une mauviette, un rien du tout* » (v. 515). La revanche d'Ulysse sur Polyphème est le triomphe d'un homme ordinaire sur une créature monstrueuse.

Une lutte symbolique

Sur le plan symbolique, les aventures d'Ulysse et Polyphème illustrent aussi la supériorité de la civilisation sur la nature inculte. Les Cyclopes vivent presque à la manière des animaux, sans jamais travailler de leurs mains. Ils ne doivent leur nourriture qu'à la générosité des dieux. Ils n'ont ni bateaux ni terres cultivées. Polyphème vit dans une grotte et dévore la viande crue. Ignorant de toute technique, il trouve le vin offert par Ulysse mille fois meilleur que celui qui coule naturellement des grappes fermentées (v. 357-359).

SYNTHÈSE *Ulysse et Polyphème*

Si le Cyclope appartient à la nature, Ulysse appartient, lui, à la civilisation. Pour aveugler le Cyclope, il recourt au savoir des artisans. Remarquant dans la caverne un tronc d'arbre qui va pouvoir lui être utile, il le compare au mât d'un vaisseau « *à vingt bancs de rameurs* » (v. 322), montrant par là qu'il est passé maître dans l'art de la navigation. Quand il crève l'œil du Cyclope, il emprunte les gestes des charpentiers (v. 384), puis ceux des forgerons (v. 391). Tout comme la déesse Athéna, sa protectrice, Ulysse possède l'intelligence qui gouverne la matière. En domptant Polyphème, qui se comporte en bête brute, il affirme la supériorité de la civilisation sur la nature.

ULYSSE ET LE CADEAU D'ÉOLE

Ulysse poursuit son récit à Alkinoos. Il lui raconte à présent comment il est parvenu chez un nouvel hôte. Il s'agit du dieu des vents, Éole. Contrairement à Poséidon, le dieu de la mer, Éole n'est animé que de bons sentiments envers Ulysse et ses compagnons. Il fait même tout son possible pour les aider à rentrer chez eux. Mais parfois la bonne volonté ne suffit pas.

On arriva dans l'île d'Éolie[1], où habitait
Éole[2], ce fils d'Hippotès, cher aux dieux immortels.
C'était une île qui flottait et qu'entouraient un mur
De bronze indestructible et des à-pic[3] de roche nue.
5 Cet Éole avait douze enfants, tous nés dans son palais,
Six filles et six fils, qui étaient dans la fleur de l'âge[4].
À ses fils il avait donné ses filles comme épouses.
Assis aux côtés de leur père et de leur digne mère,
Ils passaient leur temps à goûter aux mets les plus divers.
10 Le jour, ce n'étaient que clameurs et fumets[5] de rôtis
Dans le palais ; la nuit, chacun, près de sa chaste[6] épouse,
Allait dormir sur les tapis de son lit ajouré[7].
Nous pénétrâmes dans leur ville et leur belle demeure.

---

1. **Éolie :** telle qu'elle est décrite ici, cette île paraît imaginaire. Cependant, se fiant aux indications fournies par le texte (position d'Ithaque, direction des vents), certains spécialistes sont tentés de la situer au large de l'Afrique ou, plus souvent, au large de la Sicile. Victor Bérard pense qu'il s'agit de Stromboli.
2. **Éole :** dieu des vents.
3. **Des à-pic :** des falaises qui descendent à pic.
4. **Dans la fleur de l'âge :** dans la jeunesse.
5. **Fumets :** odeurs agréables que dégage une viande.
6. **Chaste :** pure, qui inspire le respect.
7. **Ajouré :** percé, troué, parce que le bois du lit est décoré d'incrustations, ou que le lit est percé de trous par lesquels passent des cordages, qui le maintiennent au-dessus du sol.

Un mois, Éole me choya[1], m'interrogea sur tout,
15 Sur Ilion[2], sur notre flotte et sur notre retour.
Je lui racontai tout par le détail et point par point.
Quand, voulant repartir, je lui demandai à mon tour
De me remettre en route, il accepta fort volontiers.
Il écorcha un taureau de neuf ans et, dans la peau[3],
20 Emprisonna les vents hurleurs qui sifflent de partout ;
Car le fils de Cronos[4] l'avait fait le gardien des vents,
Qu'il pouvait déchaîner ou apaiser selon son gré.
Il fixa dans ma nef[5] ce sac fermé d'un fil brillant
D'argent, pour empêcher le moindre souffle d'en sortir.
25 Puis il envoya jusqu'à nous l'haleine d'un zéphyr[6],
Qui devait nous emporter sur la mer ; mais son dessein[7]
N'allait pas aboutir, car leur sottise nous perdit.
Durant neuf jours, neuf nuits, nous naviguâmes sans relâche.
Le dixième, déjà pointaient[8] les champs de la patrie[9] ;
30 Nous voyions les feux des bergers, tant nous en étions proches.
Mais il me vint alors un doux sommeil ; j'étais brisé
D'avoir tenu le gouvernail sans jamais le céder
À personne, afin que nous fussions rendus[10] au plus vite.
Pendant ce temps, mes compagnons s'entretenaient entre eux,
35 Affirmant que je rapportais de l'or et de l'argent,
Cadeaux du magnanime[11] Éole, ce fils d'Hippotès,
Et chacun disait, en jetant les yeux sur son voisin :
« Hélas ! voyez combien il est aimé et respecté

1. **Me choya :** me traita avec amitié.
2. **Ilion :** autre nom de Troie.
3. **Dans la peau :** Éole fabrique un sac avec la peau du taureau qu'il vient d'écorcher.
4. **Le fils de Cronos :** c'est-à-dire Zeus.
5. **Nef :** bateau, navire.
6. **Zéphyr :** vent doux.
7. **Dessein :** projet.
8. **Pointaient :** apparaissaient au loin.
9. **La patrie :** Ithaque.
10. **Rendus :** arrivés.
11. **Magnanime :** généreux.

De tout le monde, en quelque ville ou pays qu'il aborde !
40 Déjà de Troie il ramenait un beau et abondant
Butin ; et nous qui avons fait une aussi longue route,
C'est les mains vides que nous allons revenir chez nous !
Aujourd'hui, c'est Éole qui lui offre des cadeaux
En gage d'amitié. Voyons un peu ce qu'il en est,
45 Combien d'or et d'argent se dissimule dans cette outre[1]. »
Tels ils parlaient, et leur dessein funeste l'emporta.
Ils délièrent[2] l'outre, et tous les vents s'en échappèrent.
Aussitôt l'ouragan saisit mon équipage en pleurs
Et nous poussa au large, loin des rives de nos pères.

Chant X, vers 1-49.

Les vents déchaînés ramènent Ulysse à Éolie. Va-t-il, cette fois encore, pouvoir compter sur l'hospitalité d'Éole ? Non, car en voyant revenir Ulysse, Éole songe que celui-ci a probablement mécontenté les dieux. C'est pourquoi il rejette impitoyablement son hôte. Ulysse n'a plus qu'à errer, sans aide, en regrettant le mauvais tour que lui ont involontairement joué ses compagnons.

1. **Outre :** sac fait d'une peau de bête.
2. **Délièrent :** détachèrent.

REPÈRES

1. À première vue, l'île d'Éole est-elle accueillante ? Y aborde-t-on facilement ?
2. Quel est le cadeau qu'offre Éole à Ulysse ? Pourquoi un tel cadeau est-il précieux ?
3. Pourquoi Ulysse peut-il croire qu'il arrive enfin à Ithaque ?
• Pourquoi est-il finalement repoussé loin de sa patrie ?

OBSERVATION

4. Comment se comportent les habitants d'Éolie ? Quelle est l'atmosphère qui règne sur l'île ?
5. Au cours de ce passage, quels éléments rassurent Ulysse et lui font croire qu'il est à la fin de ses épreuves ?

INTERPRÉTATIONS

6. Commentez le rythme du texte.
7. Au cours de ce passage, comment le narrateur parvient-il à nous surprendre ?
8. Peut-on comparer cette île à d'autres endroits déjà visités par Ulysse ? Son séjour chez Éole ressemble-t-il à son séjour chez les Cyclopes ? Ulysse quitte-t-il Éolie comme il avait quitté le pays des Lotophages ? D'où vient cette fois le danger qui le menace ? À partir de vos réponses, que pouvez-vous dire de la manière dont Homère enchaîne les épisodes les uns aux autres ?

DE LA LECTURE À L'ÉCRITURE

9. Les compagnons d'Ulysse se décident à ouvrir l'outre d'Éole. Que découvrent-ils à l'intérieur ? Quelle est leur réaction ? Décrivez la scène.
10. Ulysse réunit ses hommes pour leur reprocher leur attitude. Imaginez son discours.
11. Imaginez la réaction d'Éole quand il voit revenir Ulysse. Quels sentiments éprouve-t-il ? Par quelles paroles accueille-t-il son hôte ?

Sous le charme de Circé

Après une brève et funeste étape chez les Lestrygons, redoutables géants qui se nourrissent de chair humaine, Ulysse aborde à un nouveau rivage. Une fois de plus, il faut aller voir qui habite la région. Mais là Ulysse reste en arrière auprès de son vaisseau. Et c'est son lieutenant Euryloque qui, accompagné de quelques hommes, part en reconnaissance.

210 Ils découvrirent dans un val[1], en un lieu dégagé,
La maison de Circé avec ses murs de pierres lisses.
Autour se tenaient des lions et des loups de montagne,
Que la déesse avait charmés[2] par ses drogues[3] funestes.
Mais loin de sauter sur mes gens, les fauves se levèrent
215 Et vinrent les flatter en agitant leurs longues queues.
Comme l'on voit des chiens flatter leur maître quand il rentre
D'un festin, car il a toujours pour eux quelque douceur :
Ainsi lions et loups griffus[4] flattaient mes compagnons,
Qui tremblaient de frayeur en voyant ces monstres terribles.
220 Arrivés sous l'auvent[5] de la déesse aux belles boucles,
Ils entendent Circé chanter dedans à pleine voix
Et tisser une toile aussi divine que le sont
Les beaux et fins et gracieux ouvrages des déesses.
Le premier qui parla fut Politès, chef des guerriers ;
225 De tous mes gens, c'était le plus cher et le plus sensé :
« Amis, quelqu'un tisse une grande toile, là-dedans,

---

1. **Val :** vallon.
2. **Charmés :** ensorcelés.
3. **Drogues :** substances malfaisantes.
4. **Griffus :** pourvus de griffes.
5. **Auvent :** petit toit placé au-dessus d'une porte ou d'une fenêtre.

Et chante un si beau chant que tout le sol en retentit.
Est-ce une femme, une déesse ? appelons-la bien vite ! »
À ces mots, ils se mirent tous à crier leur appel[1].
230 Circé sortit en hâte[2], ouvrit la porte scintillante
Et les pria d'entrer ; et tous ces grands fous de la suivre !
Euryloque resta dehors, ayant flairé l'embûche[3].
Elle les conduisit vers les sièges et les fauteuils ;
Puis, leur ayant battu fromage, farine et miel vert
235 Dans du vin de Pramnos, elle versa dans ce mélange
Un philtre[4] qui devait leur faire oublier la patrie,
Le leur servit à boire et, les frappant de sa baguette,
Alla les enfermer au fond de son étable à porcs.
De ces porcs ils avaient la tête et la voix et les soies[5]
240 Et le corps, mais gardaient en eux leur esprit d'autrefois.
Ainsi parqués, ils pleurnichaient, cependant que Circé
Leur jetait à tous à manger glands, faînes et cornouilles,
Qui sont la pâture ordinaire aux cochons qui se vautrent.
Euryloque accourut en hâte au noir vaisseau rapide
245 Nous informer du triste sort qu'avaient subi les siens.
Mais malgré son envie, il ne pouvait dire un seul mot,
Tant le chagrin l'avait brisé ; ses yeux se remplissaient
De larmes, et son cœur ne pensait plus qu'à sangloter.
Mais lorsque, stupéfaits, nous l'eûmes tous interrogé,
250 Il finit par nous raconter la perte de ses gens.

Chant X, vers 210-250.

1. **À crier leur appel :** à appeler et à crier.
2. **En hâte :** rapidement.
3. **L'embûche :** l'embuscade, le piège.
4. **Un philtre :** une substance magique.
5. **Soies :** poils du porc.

REPÈRES

1. Quelle surprise attend les compagnons d'Ulysse quand ils découvrent la maison de Circé ? Pourquoi les lions et les loups de montagne ne les attaquent-ils pas (v. 214-215) ?
2. Pourquoi Euryloque n'entre-t-il pas chez Circé ?
3. Où se trouve Ulysse tandis que se déroule cette scène ?

OBSERVATION

4. En arrivant chez Circé, les compagnons d'Ulysse savent-ils à qui ils ont affaire ? Quelle idée se font-ils de Circé ?
5. Quels sont les termes qui signalent la nature divine de Circé ?
6. Quels sont les éléments de ce passage qui relèvent du merveilleux ?
7. Quels dangers fait courir Circé aux compagnons d'Ulysse ? Ont-ils déjà connu des risques comparables ?

INTERPRÉTATIONS

8. Quels sentiments Circé peut-elle nous inspirer ?
9. Quel sens donnez-vous à cette métamorphose des hommes en porcs ? Que peut-elle symboliser ?

DE LA LECTURE À L'ÉCRITURE

10. Vous assistez à la métamorphose d'un homme (ou d'une femme) en animal. Décrivez la scène.
11. Imaginez les pensées d'un de ces hommes que Circé a transformés en porcs, mais qui « *gard[ent] en eux leur esprit d'autrefois* » (v. 240).
12. Sans comprendre pourquoi, vous vous retrouvez vous aussi transformé en animal, tout en conservant votre esprit humain. Que ressentez-vous ? Comment réagissez-vous ? Comment les autres se comportent-ils à votre égard ?

Hermès vient en aide à Ulysse

Ulysse part au-devant du danger, désireux de comprendre ce qui s'est passé et soucieux de secourir ses hommes. Va-t-il à son tour être transformé en pourceau ? Il ne l'envisage pas un seul instant. Il a raison de rester confiant. Lorsqu'un danger trop grand menace Ulysse, les dieux n'hésitent pas à intervenir personnellement ou à envoyer leur messager, Hermès.

Je m'éloignai de mon navire et de la mer.
275 Mais comme dans ma course à travers le vallon sacré
J'allais atteindre le palais de la magicienne,
Hermès à la baguette d'or[1] vint au-devant de moi,
Non loin de la demeure. Il avait l'aspect d'un jeune homme
À la barbe naissante et dans tout l'éclat de son âge.
280 Me saisissant la main, il prit la parole et me dit :
« Où vas-tu, malheureux, tout seul à travers ces collines,
Sans connaître les lieux ? Tes compagnons sont chez Circé,
Parqués comme des porcs dans des cabanes bien fermées.
Tu viens les délivrer ? Mais sache bien que toi non plus
285 Tu n'en reviendras pas, tu resteras où sont les autres.
Cependant je vais te tirer d'affaire et te sauver.
Si tu veux entrer chez Circé, prends cette herbe de vie ;
Son effet bienfaisant t'évitera le jour fatal.
Apprends de moi tous les desseins funestes de Circé.
290 Elle te fera un mélange et y mettra sa drogue[2],
Mais sans pouvoir t'ensorceler, car cette herbe de vie
Que je vais te donner l'empêchera. Écoute bien :

1. **Hermès à la baguette d'or :** le dieu Hermès est fréquemment représenté avec une baguette en or, que l'on appelle parfois le caducée.
2. **Drogue :** substance malfaisante.

Dès que Circé t'aura frappé de sa longue baguette,
Alors tire le glaive aigu qui te pend à la cuisse
295 Et saute-lui dessus, en faisant mine de l'occire[1].
Tremblante, elle te pressera de partager sa couche.
Garde-toi bien de refuser le lit d'une déesse,
Si tu veux délivrer tes gens et rentrer sans encombre[2].
Mais fais-la te prêter le grand serment des Bienheureux[3]
300 Qu'elle ne trame[4] contre toi nul autre mauvais coup
Pour te prendre, ainsi nu, ta force et ta virilité. »
À ces mots, le Tueur d'Argus[5] tira du sol une herbe
Et me l'offrit, non sans m'apprendre à bien la reconnaître.
La racine en est noire, et sa fleur blanche comme lait.
305 Les dieux lui donnent le nom de *moly*, et les mortels
Ont bien du mal à l'arracher ; mais les dieux peuvent tout.
Cela fait, Hermès regagna les sommets de l'Olympe[6]
En prenant par[7] les bois, cependant que je me rendais
Au palais de Circé, le cœur plein de mille pensées.

Chant X, vers 274-309.

1. **Occire :** tuer.
2. **Sans encombre :** sans problème.
3. **Des Bienheureux :** des dieux.
4. **Tramer :** préparer, méditer.
5. **Le Tueur d'Argus :** un des surnoms du dieu Hermès. Zeus avait aimé une jeune fille nommée Io. Pour tromper la jalousie de son épouse, Héra, il changea Io en génisse. Mais Héra, méfiante, fit garder cette génisse par un dénommé Argus, qui possédait cent yeux. Sur l'ordre de Zeus, Hermès tua Argus.
6. **Olympe :** montagne où habitent les dieux.
7. **En prenant par :** en passant par.

REPÈRES

1. L'apparition d'Hermès est-elle impressionnante et solennelle ? Comment aborde-t-il Ulysse ?
2. Quel conseil donne-t-il à Ulysse et que lui offre-t-il ?
3. Que serait-il arrivé à Ulysse sans cette intervention ?

OBSERVATION

4. Peut-on se faire une idée du ton sur lequel Hermès s'adresse à Ulysse ? Justifiez.
5. Qu'est-ce qui montre qu'Hermès est, contrairement à Circé, une divinité bénéfique et positive ?
6. Durant tout le passage, quelle est l'attitude d'Ulysse ?

INTERPRÉTATIONS

7. D'après ce texte, quelle idée se fait-on d'Hermès et de Circé ?
8. Possèdent-ils des pouvoirs surnaturels ? Ont-ils cependant des attitudes, des sentiments humains ?

DE LA LECTURE À L'ÉCRITURE

9. Un être surnaturel vous aborde pour vous prévenir qu'un danger vous attend et vous fournir le moyen d'y échapper. Racontez.

Circé, *Henry Cros (1840-1907). Pâte de verre, 1889.*
Sèvres, musée national de la céramique.

UN ÉTRANGE TÊTE-À-TÊTE

Muni des précieux conseils d'Hermès, Ulysse s'en va donc affronter Circé. Dans ce passage, on voit de quelle manière le plus rusé des mortels se comporte face à une immortelle particulièrement séduisante et redoutable. Ulysse aborde Circé avec habileté et parvient à s'en faire à la fois craindre et aimer.

310 Arrivé sous l'auvent[1] de la déesse aux belles boucles,
Je me mis à crier. La déesse entendit ma voix ;
Elle sortit en hâte[2], ouvrit la porte scintillante
Et me pria d'entrer. Je la suivis, le cœur chagrin.
Elle me fit asseoir en un fauteuil aux clous d'argent,
315 Un beau siège incrusté et muni d'une barre à pieds.
Toute à ses noirs desseins[3], elle prépara le breuvage
Dans une coupe d'or et, y ayant versé sa drogue,
Me fit boire le tout, sans que la magie opérât ;
Puis, me frappant de sa baguette, elle me dit ces mots :
320 « Va coucher dans l'étable à porcs avec tes compagnons ! »
Alors, tirant mon glaive aigu[4] qui pendait à ma cuisse,
Je sautai sur Circé, en faisant mine de l'occire[5].
Elle pousse un grand cri, se jette à mes genoux, les prend
Et, tout en gémissant, me dit ces paroles ailées[6] :
325 « Qui es-tu ? d'où viens-tu ? quels sont tes parents, ta cité ?
Quel grand miracle ! quoi ! ce philtre est sans effet sur toi !
Jamais aucun mortel n'a résisté à cette drogue,

1. **L'auvent :** petit toit en saillie aménagé devant la demeure de Circé.
2. **En hâte :** rapidement.
3. **Ses noirs desseins :** ses intentions mauvaises.
4. **Mon glaive aigu :** mon épée tranchante.
5. **Occire :** tuer.
6. **Ces paroles ailées :** ces paroles rapides.

Pour peu qu'il en ait bu et qu'elle ait passé par ses dents[1].
Il faut qu'en ta poitrine habite un esprit invincible.
330 Tu es donc cet Ulysse aux mille tours, dont si souvent
Hermès à la baguette d'or[2] m'annonçait qu'il viendrait
À son retour de Troie avec sa nef[3] rapide et noire !
Allons ! rengaine ton épée et montons tous les deux
Sur cette couche, afin qu'unis par une même étreinte
335 Nous puissions dès cet instant-là nous fier l'un à l'autre. »
À ces mots, je pris la parole et je lui répondis :
« Circé, comment peux-tu en appeler à ma tendresse,
Toi qui, dans ce palais, as changé tous les miens en porcs
Et qui, m'ayant ici, m'invites si traîtreusement
340 À entrer dans ta chambre et à me coucher sur ton lit,
Pour me prendre, ainsi nu[4], ma force et ma virilité ?
Non, je ne saurais consentir à[5] monter sur ta couche,
Si tu n'acceptes de jurer le grand serment des dieux
Que tu ne trames[6] contre moi nul autre mauvais coup. »
345 Je dis, et aussitôt, suivant mon ordre, elle jura.
Une fois qu'elle eut prononcé et scellé le serment[7],
J'allai m'étendre sur le lit superbe de Circé.
[...]
Elle se plaça près de moi et dit ces mots ailés :
« Ulysse, qu'as-tu donc à rester là comme un muet,
À te ronger le cœur, sans toucher au pain ni au vin ?
380 Crains-tu quelque autre sortilège ? Allons ! rassure-toi :
N'ai-je pas juré devant toi le plus grand des serments ? »
À ces mots, je pris la parole et je lui répondis :

1. **Qu'elle ait passé par ses dents :** qu'il l'ait avalée.
2. **Hermès à la baguette d'or :** le dieu Hermès est fréquemment représenté avec une baguette en or que l'on appelle parfois le caducée.
3. **Nef :** navire.
4. **Ainsi nu :** quand je me serai ainsi dénudé.
5. **Consentir à :** accepter de.
6. **Trames :** prépares.
7. **Une fois qu'elle eut prononcé et scellé le serment :** quand elle se fut engagée par le serment.

« Ô Circé, est-il un seul homme ayant quelque raison
Qui oserait porter ce pain ou ce vin à ses lèvres,
385 Avant d'avoir vu de ses yeux ses amis délivrés ?
Si c'est d'un cœur loyal que tu m'invites à manger,
Délivre mes chers compagnons et fais que je les voie ! »
Comme je lui parlais, Circé traversa la grand-salle[1],
Sa baguette à la main, et ouvrit l'étable à cochons.
390 Elle en tira mes gens, gras comme des porcs de neuf ans.
Ils se mirent debout devant Circé, qui s'approcha
De chacun d'eux et les frotta d'une drogue nouvelle.
Leurs membres perdirent les poils qui les avaient couverts
Sous l'effet du poison donné par l'auguste[2] déesse.
395 Ils redevinrent de nouveau des hommes, mais plus jeunes
Et bien plus beaux et de plus grande taille qu'ils n'étaient.
Sitôt qu'ils m'eurent reconnu, chacun me prit la main
Et se mit à pleurer de joie ; un tapage terrible
Régnait dans la maison ; Circé même s'attendrissait.

Chant X, vers 310-347, 377-399.

1. **La grand-salle :** la grande salle.
2. **Auguste :** imposante, respectable.

REPÈRES

1. Cette scène se déroule-t-elle comme Hermès l'avait annoncé (voir pp. 66-67) ?
2. À quel moment Ulysse agit-il de sa propre initiative ?

OBSERVATION

3. Quelle différence de ton voyez-vous entre le vers 320 et les vers 325-335 ?
4. Dans les vers 321-324, à quel procédé le narrateur a-t-il recours pour rendre le récit plus vivant, plus dramatique ?
5. Dans les vers 325-335, en quoi Circé fait-elle preuve d'habileté ?
6. À votre avis, pourquoi le dénouement de la scène (v. 388-399) n'avait-il pas été annoncé par Hermès (voir pp. 66-67) ?

INTERPRÉTATIONS

7. Circé est appelée tantôt « *la déesse* » (v. 310-311) ou « *l'auguste déesse* » (v. 394), tantôt la « *magicienne* » (v. 276) : quelles différences voyez-vous entre ces termes ? Lequel vous paraît le plus juste ?
8. En quoi les textes consacrés à Circé composent-ils une sorte de conte ?

DE LA LECTURE À L'ÉCRITURE

9. Imaginez que, malgré la prière d'Ulysse, Circé ait refusé de rendre à ses compagnons leur apparence humaine. Il doit donc renouveler sa demande en trouvant des arguments propres à persuader Circé. Que lui dira-t-il ?
10. Quelque temps après cet épisode, Hermès rend visite à Circé. Imaginez leurs propos.

ULYSSE ÉVOQUE LES MORTS

*Le voyage d'un héros aux Enfers est un des passages qui figurent dans toute épopée. Au début du chant XI, Ulysse conte à Alkinoos comment il a abordé au pays ténébreux des Cimmériens. Il s'agit d'un peuple imaginaire, censé vivre non loin du lieu où séjournent les morts. Le but d'Ulysse est d'entrer en contact avec l'ombre (c'est-à-dire avec l'âme ou le fantôme) du devin Tirésias pour connaître les épreuves qui l'attendent encore. Le chant XI de l'*Odyssée *constitue un étonnant document sur les croyances religieuses des Grecs. On le nomme parfois la* nekuia *(« l'évocation des morts »).*

On toucha les confins[1] de l'Océan au cours profond[2].
Là se trouve la ville où vivent les Cimmériens[3],
15 Un peuple noyé dans la brume et les vapeurs ; jamais
Le soleil éclatant n'y fait descendre ses rayons,
Ni pendant qu'il s'élève dans le ciel tout étoilé,
Ni quand du haut du firmament il revient vers la terre :
Une sinistre nuit s'étend sur ces infortunés[4].
20 Parvenus en ce lieu, on échoua notre navire[5] ;
On en descendit le bétail[6], puis on longea le cours
De l'Océan, jusqu'à l'endroit désigné par Circé.

1. **Les confins :** les limites.
2. **Au cours profond :** les Grecs pensaient que l'Océan était un vaste fleuve, qui coulait tout autour de la terre.
3. **Cimmériens :** peuple légendaire, qu'on a parfois placé aux alentours de la mer Noire ou dans la Grande-Bretagne actuelle.
4. **Infortunés :** malheureux.
5. **On échoua notre navire :** le bateau d'Ulysse a un fond plat. Ses compagnons le tirent sur la terre pour le mettre en sécurité.
6. **Le bétail :** amené par Ulysse de chez Circé.

Là, pendant qu'Euryloque et Périmède maintenaient
Les bêtes, je tirai le glaive pendu à ma cuisse
25 Et creusai un carré ayant une coudée[1] ou presque ;
Tout autour, je versai aux morts les trois libations[2],
D'abord le lait miellé, puis le vin doux, l'eau pure enfin,
Et je répandis sur le trou de la farine blanche.
J'invoquai[3] longuement les morts, ces têtes impalpables,
30 Promettant qu'une fois rentré, je leur sacrifierais
Ma plus belle génisse en un bûcher[4] rempli d'offrandes,
Et promettant au seul Tirésias[5] de lui offrir
Un grand bélier bien noir, le meilleur de tout mon troupeau.
Quand j'eus prié et invoqué le peuple des défunts[6],
35 Je saisis les deux bêtes, puis je leur tranchai la gorge
Sur le trou ; le sang noir coula ; et du fond de l'Érèbe[7],
Alors, les âmes des défunts[8] s'approchèrent en foule :
Jeunes femmes, adolescents, vieillards chargés d'épreuves,
Tendres vierges portant au cœur leur tout premier chagrin,
40 Hommes sans nombre transpercés par le bronze des lances,
Guerriers tués et recouverts de leurs armes sanglantes.
À l'entour[9] de la fosse, ils venaient de partout, en masse,
Avec d'horribles cris ; et moi, je verdissais de peur.

Chant XI, vers 13-43.

1. **Une coudée :** longueur comprise entre le coude et le bout des doigts.
2. **Libations :** actions de répandre un liquide en l'honneur d'une personne ou d'un dieu.
3. **J'invoquai :** je priai, j'appelai un dieu ou une puissance surnaturelle pour demander son aide.
4. **En un bûcher :** sur un bûcher.
5. **Tirésias :** devin qui doit révéler à Ulysse ce qu'il faut faire pour atteindre le rivage d'Ithaque.
6. **Le peuple des défunts :** la foule des morts.
7. **L'Érèbe :** nom des ténèbres infernales.
8. **Les âmes des défunts :** les Grecs pensent qu'après la mort, il ne reste de l'homme qu'une « âme », c'est-à-dire une apparence, une image, un fantôme dépourvu de corps. On peut voir ces « âmes », converser avec elles, mais jamais les toucher ni les saisir.
9. **À l'entour :** tout autour.

REPÈRES

1. Avec qui Ulysse cherche-t-il à entrer en contact ?
2. Comment se déroule l'invocation des morts ?
3. Qu'est-ce qui caractérise leur apparition (v. 36-43) ?

OBSERVATION

4. La « *ville où vivent les Cimmériens* » est-elle décrite ? Que sait-on sur ce peuple ? Comment est présentée la région qu'il habite ?
5. Comparez les vers 14-19 et les vers 36-43. Le rythme et la tonalité sont-ils les mêmes ?
6. Comment Homère représente-t-il les morts ? Quels sont les termes qui servent à les nommer ? Sur quoi insistent ces termes ?
7. Quels éléments contribuent à créer une atmosphère angoissante ?

INTERPRÉTATIONS

8. D'après ce texte, quelle idée se fait-on de la religion grecque ?
9. Le monde des vivants et celui des morts vous semblent-ils nettement séparés ?

DE LA LECTURE À L'ÉCRITURE

10. Décrivez la ville où vivent les Cimmériens (rues, maisons, habitants, atmosphère).
11. Avez-vous déjà essayé de vous représenter le lieu où pourraient séjourner les morts ? Décrivez-le.
12. Imaginez qu'Ulysse entre en conversation avec la foule des morts. Que leur dit-il ? Que peuvent-ils lui répondre ?

ULYSSE CONVERSE AVEC L'OMBRE DE SA MÈRE

Après avoir recueilli les prophéties du devin Tirésias, Ulysse s'entretient avec sa mère, Anticlée. Il s'est d'abord étonné en voyant sa silhouette familière parmi les ombres : n'étant pas revenu chez lui depuis de nombreuses années, il ignorait qu'Anticlée était morte. Au cours de cette étonnante conversation, Ulysse éprouve à la fois le désir de demander à sa mère des nouvelles des siens et la douleur de savoir qu'il lui parle pour la dernière fois.

Mais moi je restai immobile, attendant que ma mère
Vînt boire le sang noir. Alors elle me reconnut
Et, tout en gémissant, me dit ces paroles ailées[1] :
155 « Mon fils, comment es-tu venu vivant sous ce brouillard
Obscur ? Ces lieux ne s'offrent guère aux regards des vivants.
Entre eux et nous sont de grands fleuves et d'affreux courants,
Et d'abord l'Océan[2], que rien ne permet de franchir
À pied, mais pour lequel il faut avoir un bon navire.
160 Reviens-tu de Troade[3] après avoir longtemps erré
Sur ton navire avec tes gens, et n'as-tu pas encore
Rejoint Ithaque[4] et retrouvé ta femme en ton palais ? »
À ces mots, je pris la parole et je lui répondis :
« Ma mère, il m'a fallu descendre jusque chez Hadès[5]

1. **Ces paroles ailées :** expression fréquente chez Homère.
2. **L'Océan :** les Grecs pensaient que l'Océan était un vaste fleuve, qui coulait tout autour de la terre.
3. **Troade :** région où se trouve Troie.
4. **Ithaque :** patrie d'Ulysse.
5. **Hadès :** dieu des Enfers, c'est-à-dire du lieu où séjournent les morts.

165 Pour interroger l'ombre du Thébain Tirésias[1].
Non, je suis encor loin de l'Achaïe[2] et n'ai point mis
Le pied sur notre sol. Je traîne sans fin ma misère,
Depuis le jour où j'ai suivi le divin fils d'Atrée[3]
Vers la riche Ilion[4] pour y combattre les Troyens.
170 Mais allons ! parle-moi sans feinte[5] et réponds point par point.
Quel destin t'a soumise aux rigueurs du dernier sommeil[6] ?
Fut-ce une longue maladie ? ou l'Archère Artémis[7]
A-t-elle décoché[8] sur toi sa flèche la plus douce ?
Parle-moi de mon père[9] et de mon fils[10] laissés là-bas.
175 Ont-ils encore le pouvoir en main, ou est-ce un autre
Qui le détient ? A-t-on cessé de croire à mon retour ?
Dis-moi aussi ce que projette et pense mon épouse ;
Est-elle encore avec mon fils ? garde-t-elle mes biens ?
Ou a-t-elle épousé déjà quelque noble Achéen[11] ? »
180 Je dis, et mon auguste mère alors de me répondre :
« Oui, elle est toujours là, le cœur plein de courage,
Dans ton palais, où elle passe ses jours et ses nuits
À gémir lamentablement et à pleurer sans fin.
Nul ne détient encor ton beau pouvoir, et Télémaque
185 Gère paisiblement tes biens, prenant sa juste part

1. **Tirésias :** devin qui indique à Ulysse les conditions dans lesquelles doit s'effectuer son retour.
2. **L'Achaïe :** la Grèce.
3. **Le divin fils d'Atrée :** Agamemnon (qui dirigeait l'expédition des Grecs contre Troie).
4. **Ilion :** Troie.
5. **Sans feinte :** franchement.
6. **Du dernier sommeil :** de la mort. Avant ce passage, Ulysse croyait que sa mère était encore en vie.
7. **L'Archère Artémis :** la déesse de la chasse, qui porte toujours un arc et des flèches. Un archer (le féminin « archère » est rare) est un combattant qui tire à l'arc.
8. **Décoché :** lancé (avec un arc).
9. **Mon père :** Laërte.
10. **Mon fils :** Télémaque.
11. **Achéen :** Grec.

Aux festins coutumiers[1] auxquels un arbitre[2] est tenu.
On l'invite partout. Quant à ton père, il vit aux champs ;
Il ne vient même plus en ville. Il ne veut pour dormir
Ni matelas ni couvertures ni coussins moirés[3].
190 L'hiver, c'est au logis qu'il dort, avec les domestiques,
Près du feu, dans la cendre, et le corps couvert de haillons[4] ;
Mais sitôt que revient l'été, puis l'automne et ses fruits,
C'est n'importe où, sur le penchant[5] de son coteau de vignes,
Qu'il se couche par terre, au milieu d'un tapis de feuilles.
195 Il reste là, tout triste, et se consume de chagrin,
Espérant ton retour et ployant sous le faix[6] de l'âge.
Ainsi ai-je péri moi-même et suivi[7] mon destin.
Ce n'est point l'Archère[8] infaillible, au sein de mon palais,
Qui m'a tuée en me frappant de sa plus douce flèche,
200 Ni une longue maladie, un de ces maux terribles
Qui enlèvent la vie en vous consumant tous les membres :
C'est le regret, c'est le souci de toi, mon noble Ulysse,
C'est mon amour pour toi qui m'ont ôté la douce vie. »
Ainsi dit-elle, et aussitôt, d'un cœur bien décidé,
205 Je voulus embrasser l'ombre[9] de ma défunte mère.
Trois fois je m'élançai ; mon cœur me pressait de[10] l'étreindre ;
Mais trois fois, telle une ombre ou un songe, elle s'échappa
De mes mains, ne rendant que plus poignante[11] ma douleur.

Chant XI, vers 152-208.

1. **Coutumiers :** conformes à la tradition, à l'habitude.
2. **Un arbitre :** Télémaque n'est pas roi d'Ithaque. En l'absence d'Ulysse, il se contente d'arbitrer les conflits.
3. **Moirés :** en moire (la moire est un tissu qui présente des reflets, qui a un aspect changeant).
4. **Haillons :** guenilles, mauvais habits.
5. **Le penchant :** la pente.
6. **Le faix :** le fardeau.
7. **Suivi :** accompli.
8. **L'Archère :** la déesse Artémis.
9. **L'ombre :** l'apparence, le fantôme.
10. **Me pressait de :** m'invitait à.
11. **Poignante :** vive.

REPÈRES

1. Quelle est la tonalité générale du passage ?
2. Ulysse demande à sa mère pourquoi elle se trouve aux Enfers (v. 170-173). Dans quels vers lui répond-elle ?

OBSERVATION

3. Relevez les échos, les correspondances entre les propos d'Ulysse et ceux de sa mère.
4. Quelles différences apparaissent entre les questions que pose Ulysse et les réponses de sa mère ?
5. Quels sont les termes qui montrent l'intimité entre la mère et le fils ?
6. Comment le narrateur souligne-t-il la distance qui sépare le monde des vivants de celui des morts ?

INTERPRÉTATIONS

7. Quelle est l'impression produite par les vers 204-208 ?
8. Quels vers vous paraissent les plus émouvants ? Justifiez.
9. Quel jugement peut-on porter sur l'attitude d'Ulysse et sur celle de sa mère ?

DE LA LECTURE À L'ÉCRITURE

10. Imaginez une conversation que vous aimeriez avoir avec une personne disparue (ancêtre, figure historique) ou un personnage imaginaire (héros d'un livre, d'un film).
11. En rêve, vous parlez avec l'ombre d'Ulysse. Vous lui donnez votre impression sur ses voyages. Il réagit à vos propos. Décrivez votre échange.

D'escale en escale, Ulysse accomplit un parcours fascinant entre rêve et réalité. Ce voyage est raconté tantôt par le narrateur (chants V-VIII et XIII), tantôt par le héros lui-même (chants IX-XII). Chacune de ses étapes offre l'occasion d'une narration brillante et nourrit en même temps une réflexion sur ce qui définit l'être humain.

Entre rêve et réalité

Ulysse part de la ville de Troie, située en Asie Mineure, et parvient finalement à Ithaque, à l'Ouest de la Grèce. Entre ces deux points, faciles à situer sur une carte, il s'égare sur des rivages inconnus, dont on ne sait s'ils appartiennent ou non au monde réel. De manière audacieuse, Homère mêle à des indications géographiques réelles des notations purement imaginaires.

En fait, l'univers qu'il évoque se compose de deux parties bien distinctes. L'Est de la Méditerranée est décrit de façon toujours précise et convaincante. Quand Homère évoque les rivages de Crète, d'Égypte ou de Phénicie, les lecteurs sont guidés par des repères efficaces. En revanche, s'il mentionne les territoires qui se situent à l'ouest d'Ithaque, il le fait de manière moins précise, entourant les lieux d'une certaine irréalité. Éole habite une île étrange, flottant sur les eaux, qu'entourent « *un mur de bronze indestructible et des à-pic de roche nue* » (chant X, v. 3-4). Le pays des Cimmériens, « *noyé dans la brume et les vapeurs* » (chant XI, v. 15), est un monde à part, habité par les morts. Le caractère insolite des terres tient souvent à ceux qui les occupent : les Lotophages mangent des fleurs au pouvoir magique ; les Cyclopes ont un œil unique au milieu du front. Nous sommes ici dans l'univers fantastique du conte.

Pourtant, depuis l'Antiquité, bien des lecteurs d'Homère ont cherché à situer dans la réalité ces terres fabuleuses. L'un d'eux, Victor Bérard, a établi une carte si convaincante des voyages d'Ulysse (voir pp. 172-173) qu'elle fait désormais autorité. Il identifie l'île des Lotophages à Djerba (en Tunisie). Il situe le pays des Cyclopes dans la région de Naples (en Italie). Il place la demeure d'Éole dans l'île de Stromboli (au large de la Sicile). On ne saurait oublier pourtant qu'Homère n'a pas souhaité ancrer dans la réalité les contrées qu'il évoque. Chez lui, le thème du voyage est placé sous le signe de la fantaisie et de l'imagination.

L'art du récit

Les voyages d'Ulysse font en même temps l'objet d'une narration extraordinaire. Au cours du long récit des chants IX à XII, Ulysse émerveille Alkinoos en lui contant ses aventures. Au moment où il se tait, les Phéaciens restent « *tous silencieux et cois, subjugués [...] dans l'ombre de la grande salle* » (chant XIII, v. 1-2). Si le récit d'Ulysse est remarquable, c'est non seulement par les aventures qu'il contient, mais par la manière dont il est agencé.

D'habiles transitions ménagent, d'un épisode à l'autre, des effets d'écho. Souvent, ce sont des tempêtes qui s'intercalent entre des escales mouvementées : Ulysse subit à cinq reprises la colère des flots, et deux fois alors même qu'il est en vue des côtes d'Ithaque (chant IX, v. 79-81 ; chant X, v. 28-31). Par un autre effet de miroir, la liaison entre les différentes aventures est parfois assurée par la reprise d'un même vers. L'un d'eux revient quatre fois : « *De là nous voguâmes plus loin, le cœur plein de tristesse* » (chant IX, v. 62 et 565 ; chant X, v. 77 et 133). Ainsi, Ulysse semble toujours revenir au même point.

Par ailleurs, les créatures qu'il affronte peuvent parfois faire penser les unes aux autres. Les Lotophages comme les Sirènes ont le redoutable pouvoir de priver les hommes du désir de rentrer chez eux. Les Lestrygons comme les Cyclopes sont des géants qui dévorent les compagnons d'Ulysse. Les séjours sur l'île d'Éole ou sur l'île du Soleil se ressemblent également : dans les deux cas, les marins profitent du sommeil d'Ulysse pour commettre une imprudence regrettable. La première fois, ils ouvrent une outre qui contient tous les vents ; la seconde, ils dévorent des bœufs intouchables. Enfin, Calypso et Circé ont plusieurs points communs. Ces deux créatures divines, d'une beauté extraordinaire, offrent leur amour à Ulysse et n'acceptent qu'avec regret de le laisser poursuivre son voyage. Ainsi, ces différentes aventures, si diverses par ailleurs, sont habilement raccordées les unes aux autres par un jeu de ressemblances qui concourt à l'élégance de la narration.

Temps de l'intrigue et temps du récit

Un des traits de l'habileté d'Homère est d'avoir constamment joué d'un décalage entre le temps de l'intrigue (l'ordre dans lequel les événements se déroulent réellement) et le temps du récit (l'ordre selon lequel ces événements apparaissent dans l'œuvre). Il suffit de consulter une carte reconstituant les voyages d'Ulysse pp. 172-173 pour retrouver la succession de ses aventures. Parti du site de Troie, il accoste chez les Cicones, chez les Lotophages, puis se rend chez les Cyclopes. De là, il atteint l'île d'Éole, le pays des Lestrygons, puis la demeure de Circé, chez laquelle il séjourne toute une année. Il se rend ensuite chez les Cimmériens d'où il revient, après s'être entretenu avec les morts. Grâce aux ultimes conseils de Circé, Ulysse échappe aux Sirènes, puis à Charybde et Scylla. Il arrive enfin chez Calypso où il reste sept ans. Quand, au début de la huitième année, Hermès demande à la nymphe de laisser repartir son hôte, Ulysse se lance à nouveau sur la mer. Ballotté par la tempête, il arrive, seul et nu, au pays des Phéaciens. Il raconte alors ses aventures au roi Alkinoos qui, par amitié, lui accorde son aide et le fait reconduire à Ithaque. Voilà le déroulement des aventures d'Ulysse tel qu'on peut le reconstituer à partir du texte. Mais cette succession de faits n'apparaît pas telle quelle dans le récit, qui en bouleverse l'ordre chronologique. En fait, la narration procède en trois temps :

1. Au début de l'*Odyssée*, quand Athéna entreprend d'intéresser les dieux au sort d'Ulysse, celui-ci se trouve chez Calypso. Nous assistons à l'assemblée des dieux, puis à l'ambassade d'Hermès auprès de Calypso. Bientôt, Ulysse se construit un radeau, prend la mer et essuie une tempête. Il arrive alors chez les Phéaciens et leur explique comment il est parvenu jusqu'à eux, ce qui constitue un premier retour en arrière.

2. Ulysse commence son récit au moment où il quitte la demeure de Calypso et relate les événements qui l'ont conduit jusqu'à Alkinoos (chant VII, v. 208-297). Par ce premier récit, il gagne l'amitié de son hôte, qui organise un banquet en son honneur. Au cours de ce banquet, Ulysse entreprend par le détail le récit de ses voyages. Il commence cette seconde narration au moment où il s'éloigne de la ville de Troie, après avoir remporté la victoire (chant IX, v. 37-38). Ce second retour en arrière va occuper plusieurs chants.

3. Dans le chant IX, Ulysse explique à Alkinoos comment il a rendu visite aux Cicones (v. 39-61), aux Lotophages (v. 83-104), aux Cyclopes (v. 106-564). Au cours du chant X, il raconte le premier (v. 1-27), puis le second séjour chez Éole (v. 56-76), l'escale chez les Lestrygons (v. 81-132), puis chez Circé (v. 135-574). Dans le chant XI, il relate le dialogue avec les morts, dans l'île des Cimmériens (v. 14-640). Le chant XII retrace le retour chez Circé (v. 1-143), l'épisode des Sirènes (v. 166-200), puis de Charybde et Scylla (v. 201-259). Enfin, Ulysse explique comment,

après l'imprudence commise par ses compagnons dans l'île du Soleil (v. 260-402), il reprend la mer, essuie deux tempêtes et parvient chez Calypso (v. 403-449). Il atteint ainsi les événements qu'il avait racontés au début de son premier récit. Il n'ira pas plus loin :

« ... *Mais pourquoi ce récit ?*
Hier, dans ce palais, je te l'ai déjà fait, à toi
Et à ta noble épouse, et je déteste répéter
Ce que j'ai déjà raconté dans ses moindres détails. »

C'est par ces mots que s'achève le deuxième exposé d'Ulysse (chant XII, v. 450-453). La narration proprement dite reprend au début du chant XIII, qui décrit le retour à Ithaque.

Ainsi, Homère s'affranchit de l'ordre chronologique pour conter les aventures d'Ulysse. Plutôt que de suivre la succession des événements, il préfère nous faire remonter le temps au fil des deux récits que fait le héros lui-même.

Un récit symbolique

Le lent retour d'Ulysse à Ithaque est en même temps une réflexion sur ce qui définit l'être humain, par opposition aux autres créatures.

L'homme se caractérise d'abord par la manière dont il se nourrit. C'est un « *mangeur de pain* », qui produit ce qu'il consomme. Il ne goûte ni le charme des fleurs magiques, ni la chair de ses semblables. Il s'abstient par ailleurs des breuvages divins, nectar et ambroisie, ou de la chair des animaux consacrés aux dieux. L'épisode des bœufs du Soleil rappelle l'importance de ces interdictions que des ventres affamés risquent toujours d'oublier.

L'homme est aussi celui qui, seul parmi les créatures, maîtrise les techniques de la civilisation. Il sait se servir d'outils, connaît l'agriculture, les arts manuels et la navigation. Cette

dextérité n'est que le premier indice d'une supériorité qui va beaucoup plus loin : l'être humain possède une organisation politique et respecte les dieux. Il connaît la valeur des serments et se plie aux lois de l'hospitalité. En d'autres termes, il n'est pas seulement conduit par ses désirs. Il a intégré les règles d'une société et les raffinements d'une culture.
Au contact de Circé et de Calypso, qui lui offrent par amour le don fabuleux de l'immortalité, Ulysse affirme en outre que l'homme n'a rien de plus cher que sa fragile condition de mortel. Certes, le message que délivrent les ombres de l'Érèbe est très clair : rien n'est plus triste que la mort. Pourtant, de retour chez Circé, Ulysse ne change pas d'avis : loin de demander asile à la magicienne, il se hâte de la quitter pour rentrer chez lui. Car, pas plus qu'il ne peut rompre avec sa condition de mortel, l'homme ne peut oublier le lieu d'où il vient. Au fil de ses voyages, Ulysse perd ses compagnons, ses vaisseaux, son butin. Pourtant, il ne cesse pas d'aller lentement vers lui-même. Quand il sort des flots, seul et nu, pour se présenter à Nausicaa, Ulysse n'a plus rien : il ne possède plus que sa propre histoire. Mais c'est justement ce récit qui va émerveiller ses hôtes et les inciter à le reconduire chez lui. Ce qu'Homère nous dit, à travers cet épisode, est que l'homme n'a pas de bien plus précieux que sa mémoire.

Un compagnon fidèle

Ulysse a si bien conté ses aventures au roi des Phéaciens, Alkinoos, que celui-ci décide de l'aider à rentrer chez lui. Les Phéaciens prennent la mer et déposent Ulysse endormi sur le rivage d'Ithaque. À son réveil, Ulysse ne reconnaît pas sa patrie et commence à se lamenter. Mais Athéna vient à lui et lui révèle où il est. Ulysse se garde de clamer bruyamment sa joie. Il ne veut pas annoncer son retour afin de juger par lui-même de la manière dont on se comporte durant son absence. Athéna lui donne donc l'apparence d'un mendiant. Rendu ainsi méconnaissable, Ulysse se rend chez un brave porcher, Eumée, qui l'accueille généreusement. Bientôt, toujours vêtu en mendiant, Ulysse se dirige vers son palais. Là, il se retrouve soudain face à son vieux chien, Argos.

290 Tandis qu'ils se livraient à cet échange de propos,
Un chien affalé[1] là dressa la tête et les oreilles :
C'était Argos, le chien que de ses mains le brave Ulysse
Avait nourri, mais bien en vain, étant parti trop tôt
Pour la sainte Ilion[2]. Les jeunes l'avaient longtemps pris
295 Pour chasser le lièvre, le cerf et les chèvres sauvages.
Mais depuis le départ du maître, il gisait[3] là sans soins,
Sur du fumier de bœuf et de mulet qu'on entassait
En avant du portail, afin que les valets d'Ulysse
Eussent toujours de quoi fumer[4] son immense domaine.

---

1. **Affalé :** étendu sans force.
2. **Ilion :** autre nom de Troie (ville protégée par certains dieux, notamment Aphrodite et Poséidon).
3. **Il gisait :** il restait étendu.
4. **Fumer :** répandre de l'engrais pour rendre la terre plus fertile.

300 C'est là qu'était couché Argos, tout couvert de vermine[1].
Or, à peine avait-il flairé l'approche de son maître,
Qu'il agita sa queue et replia ses deux oreilles ;
Mais il n'eut pas la force d'aller plus avant[2] ; Ulysse,
En le voyant, se détourna, essuyant une larme,
305 Vite, à l'insu d'Eumée[3] ; après quoi il lui dit ces mots :
« Porcher, l'étrange chien couché ainsi sur le fumier !
De corps il est vraiment très beau, mais je ne puis savoir
Si sa vitesse à courre[4] était égale à sa beauté,
Ou s'il n'était tout simplement qu'un de ces chiens de table,
310 Que les maîtres n'entourent de leurs soins que pour la montre[5]. »
À ces mots, tu lui répondis[6] ainsi, porcher Eumée :
« Celui-là, c'est le chien d'un homme qui est mort au loin.
S'il était resté tel, pour les prouesses et l'allure,
Qu'Ulysse le laissa au moment de partir pour Troie,
315 Sa forme et sa vitesse auraient tôt fait de t'étonner.
Jamais les bêtes qu'il traquait dans les forêts profondes
Ne lui ont échappé ; il connaissait toutes les pistes[7].
Mais le voilà fort affaibli ; son maître a disparu
Loin de chez lui ; les femmes le délaissent, le négligent.
320 Les serviteurs, dès qu'ils n'ont plus de maître à respecter,
Refusent d'accomplir le travail auquel ils se doivent[8].
Zeus tonnant[9] ôte à l'homme la moitié de sa valeur,

1. **Vermine :** ensemble des parasites (puces, poux, etc.) qui vivent sur le corps des animaux (ou des hommes).
2. **Plus avant :** plus loin.
3. **À l'insu d'Eumée :** sans qu'Eumée le voie.
4. **À courre :** quand, à la chasse, il poursuivait le gibier.
5. **Pour la montre :** pour le plaisir de le montrer aux autres.
6. **Tu lui répondis :** le narrateur de l'*Odyssée* parle toujours à la seconde personne du singulier à Eumée.
7. **Pistes :** traces que laisse au sol un animal que l'on chasse.
8. **Auquel ils se doivent :** qu'ils doivent accomplir.
9. **Zeus tonnant :** le maître des dieux gouverne les éclairs, la foudre et le tonnerre.

Dès l'instant que vient le saisir le jour de l'esclavage[1]. »
À ces mots, il gagna la riche demeure et marcha
325 Droit vers la salle où se trouvaient les nobles prétendants[2].
Mais Argos n'était plus : la sombre mort l'avait saisi,
Au moment de revoir Ulysse après vingt ans[3] d'absence.

Chant XVII, vers 290-327.

1. **Dès l'instant que vient le saisir le jour de l'esclavage :** dès que le jour de l'esclavage vient le saisir, c'est-à-dire dès qu'il devient esclave.
2. **Les nobles prétendants :** les princes qui prétendent au trône d'Ulysse (c'est-à-dire qui cherchent à s'en emparer).
3. **Vingt ans :** la guerre de Troie a duré dix ans, de même que le retour d'Ulysse. Voilà donc vingt ans qu'Argos n'a pas vu son maître.

REPÈRES

1. Pourquoi la réaction d'Argos est-elle remarquable ?
2. Pourquoi Ulysse ne va-t-il pas caresser son chien ?
3. Pourquoi Eumée dit-il à Ulysse : « *c'est le chien d'un homme qui est mort au loin* » (v. 312) ?

OBSERVATION

4. Quels termes décrivent les liens qui unissaient autrefois Ulysse à son chien ?
5. Comment se manifeste l'émotion d'Ulysse ? Pourquoi interroge-t-il Eumée sur son chien (v. 307-310), alors qu'il vient de le reconnaître (v. 304) ?
6. Quelles qualités Eumée reconnaît-il à Argos ?
7. Le narrateur suggère qu'Argos possède une autre qualité : laquelle ?

INTERPRÉTATIONS

8. Quelle est la valeur symbolique de cette scène ?
9. De quelle manière cette scène prépare-t-elle le retour d'Ulysse parmi les siens ?

DE LA LECTURE À L'ÉCRITURE

10. Décrivez un témoignage de fidélité d'un animal envers son maître.
11. Décrivez un animal familier.
12. Évoquez un animal célèbre qui apparaît dans une œuvre littéraire, une bande dessinée, un film. Puis expliquez en quoi il vous paraît digne d'intérêt.

ULYSSE PARMI LES PRÉTENDANTS

Ulysse s'est fait reconnaître de son fils, Télémaque. Mais personne d'autre à Ithaque ne sait encore qui il est. Lorsqu'il entre dans la salle de son palais et passe, vêtu en mendiant, parmi les prétendants, ceux-ci ignorent absolument à qui ils ont affaire. Ulysse peut ainsi les observer à sa guise tandis qu'ils festoient, convaincus que bientôt l'un d'entre eux sera roi.

Bientôt après[1], Ulysse pénétra dans la grand-salle[2],
Sous les traits d'un vieillard, d'un pitoyable mendiant
Appuyé sur sa canne et couvert de méchants haillons[3].
Il s'assit sur le seuil de frêne, en dedans de la porte,
340 Contre le montant de cyprès qu'un artisan, jadis,
Avait habilement poli et dressé au cordeau[4].
Alors Télémaque appela le porcher[5] et lui dit,
Après avoir pris un gros pain dans la belle corbeille
Et de la viande autant qu'il en tenait dans ses deux mains :
345 « Va donc porter cela à l'étranger, en lui disant
D'aller quêter de table en table, à chaque prétendant ;
La honte n'est pas de saison, quand on manque de tout. »
Dès qu'il eut entendu ces mots, le porcher se leva,
Et, s'approchant d'Ulysse, il dit ces paroles ailées[6] :
350 « Télémaque, étranger, te donne ces mets[7] et te prie
D'aller quêter de table en table, à chaque prétendant ;
La honte, dit-il, n'est pas de saison, quand on n'a rien. »

1. **Bientôt après :** peu après.
2. **La grand-salle :** la grande salle.
3. **Haillons :** guenilles, mauvais habits.
4. **Au cordeau :** bien droit.
5. **Le porcher :** Eumée (un porcher est un homme qui garde les porcs).
6. **Ces paroles ailées :** ces paroles rapides.
7. **Ces mets :** ces aliments.

Ulysse l'avisé[1] lui fit alors cette réponse :
« Grand Zeus, accorde à Télémaque un bonheur sans nuage
355 Et fais que tous les désirs de son cœur se réalisent ! »
Il dit, puis, prenant des deux mains les mets qu'on lui offrait,
Il les posa devant ses pieds, sur l'immonde besace[2],
Et mangea, tandis que l'aède[3] chantait dans la salle ;
Il finit son repas, comme l'aède s'arrêtait.
360 Les prétendants remplirent la grand-salle de leurs cris.
Athéna vint alors exhorter le fils de Laërte[4]
À mendier des bouts de pain parmi les prétendants,
Pour lui permettre de compter les bons et les méchants.
Mais même ainsi, elle n'allait en épargner aucun.
365 Ulysse, partant de la gauche, alla vers chacun d'eux,
Tendant partout la main, comme s'il l'avait toujours fait.
Pris de pitié, ils lui donnaient ; mais sa vue intriguait[5],
Et ils se demandaient qui il était, d'où il venait.
Alors le chevrier[6] Mélanthios leur dit ces mots :
370 « Écoutez-moi, ô prétendants de la plus noble reine !
L'étranger que voilà, je l'ai déjà vu ce matin ;
Il se rendait en ville, et le porcher l'accompagnait ;
Mais je ne sais pas trop de quelle race il se réclame. »
Alors Antinoos[7], prenant le porcher à partie :
375 « Ô porcher trop fameux, pourquoi l'avoir conduit en ville ?
N'avons-nous pas déjà suffisamment de vagabonds,
De détestables mendiants, fléaux de nos festins ?
Une foule de gens dévore ici les biens du maître,
Et tu n'es pas content ! il t'en fallait encore un autre ! »

Chant XVII, vers 336-379.

1. **L'avisé :** le sage, le rusé.
2. **Besace :** sac.
3. **Aède :** personne qui récite ou chante les poèmes, en s'accompagnant à la lyre.
4. **Le fils de Laërte :** Ulysse.
5. **Intriguait :** étonnait.
6. **Le chevrier :** celui qui garde les chèvres.
7. **Antinoos :** un des prétendants.

REPÈRES

1. Pourquoi Ulysse n'est-il pas reconnu par les prétendants ?
2. Télémaque sait-il qui est « *l'étranger* » (v. 345) ?
3. Quand Athéna intervient (v. 361), les prétendants la reconnaissent-ils ?

OBSERVATION

4. Relevez les termes qui décrivent Ulysse ou évoquent sa situation parmi les prétendants. Sur quoi insistent-ils ? Quels sentiments peut éprouver Ulysse quand il passe en mendiant parmi les prétendants ?
5. Pourquoi Ulysse accepte-t-il de revêtir l'habit de mendiant et de quêter ainsi sa nourriture ?
6. Qu'est-ce qui caractérise l'intervention d'Antinoos ? À quel type de vocabulaire recourt-il ? Peut-on se faire une idée du ton sur lequel il intervient ? Pourquoi ?

INTERPRÉTATIONS

7. Dans quelles conditions Ulysse rentre-t-il dans son palais ? Pouvait-on imaginer la manière dont s'effectuerait ce retour ?
8. Quelles valeurs ce passage enseigne-t-il à respecter ? Quel jugement porte-t-on sur Antinoos ?
9. Quelle conception de la vie humaine illustre ce passage ?

DE LA LECTURE À L'ÉCRITURE

10. Pendant qu'il passe parmi les prétendants, Ulysse se parle à lui-même. Imaginez son monologue intérieur.
11. Un des prétendants observe Ulysse. Que pense-t-il en le voyant ? Quels sont ses impressions, ses sentiments, ses réflexions, au cours de cette scène ?

L'ÉPREUVE DE L'ARC

Parce que les prétendants pressent Pénélope de se marier avec l'un d'eux, celle-ci leur fait une proposition : elle épousera celui qui parviendra à tendre l'arc d'Ulysse et à faire franchir à une flèche un alignement de douze haches. Les prétendants acceptent l'épreuve, chacun se croyant capable de relever le défi. Mais ils se trompent : aucun d'eux n'arrive à tendre l'arc. Sans se démonter, ils demandent que l'épreuve soit remise au lendemain. Pendant ce temps, Ulysse s'est discrètement fait reconnaître d'Eumée et Philœtios. À présent, toujours dissimulé sous son habit de mendiant, il demande à essayer l'arc.

Le porcher[1] reprit l'arc et, traversant la grande salle,
Vint le remettre entre les mains d'Ulysse l'avisé.
380 Puis, appelant à soi la nourrice Euryclée[2], il dit :
« Télémaque t'ordonne, ô sage et prudente Euryclée,
De fermer les épais vantaux[3] qui donnaient sur l'arrière,
Et, si l'on entendait du bruit et des gémissements
Dans notre salle, à nous, de ne pas mettre un pied dehors,
385 Mais de rester à votre ouvrage et de ne souffler mot. »
Il dit, et la nourrice, sans rien ajouter de plus,
Alla fermer la porte de la salle spacieuse.
En silence, Philœtios[4] bondit hors de la salle
Et s'en fut verrouiller la porte de la cour bien close.
390 Il trouva sous la galerie un câble de vaisseau

1. **Le porcher :** Eumée.
2. **Euryclée :** elle avait été la nourrice d'Ulysse.
3. **Les vantaux :** les battants de la porte.
4. **Philœtios :** bouvier d'Ulysse (un bouvier est un homme qui garde les bœufs).

En byblos[1], dont il attacha les portes, puis rentra
Et se rassit dans le fauteuil qu'il venait de quitter.
Il regardait Ulysse, qui déjà palpait son arc,
Le tournait en tous sens, le tâtait de côté et d'autre,
395 Craignant qu'à la longue les vers n'eussent rongé la corne ;
Et chacun disait en jetant les yeux sur son voisin :
« Pour sûr, voilà un connaisseur qui sait jouer de l'arc !
Ou bien cet homme-là en a un semblable chez lui,
Ou bien il songe à s'en faire un, à voir comme en ses mains
400 Ce misérable vagabond le tourne et le retourne ! »
Tel autre de ces jeunes fats[2] disait de son côté :
« Je souhaite à ce pauvre gueux de réussir en tout,
Aussi vrai qu'il va réussir à nous bander cet arc[3] ! »
Or, tandis qu'ils parlaient ainsi, Ulysse l'avisé
405 Continuait de tâter son grand arc et de tout voir.
Tel un homme connaissant bien la cithare[4] et le chant
Tend aisément la corde autour d'une cheville[5] neuve,
Ayant fixé par les deux bouts le boyau[6] bien tordu :
De même Ulysse tendit le grand arc sans nul effort ;
410 De la main droite, ensuite, il prit et fit vibrer la corde,
Qui rendit un son clair, pareil au cri de l'hirondelle.
Les prétendants, saisis d'effroi, se mirent à blêmir.
Pour marquer sa décision, Zeus tonna[7] un grand coup.
Le cœur rempli de joie, Ulysse l'endurant comprit
415 Que le fils de Cronos le Fourbe[8] envoyait un présage[9].
Il prit le trait[10] pointu qu'il avait laissé sur la table,

1. **Byblos :** papyrus d'Égypte.
2. **Fats :** prétentieux.
3. **Bander cet arc :** le tendre.
4. **Cithare :** instrument de musique à cordes.
5. **Cheville :** petite pièce de bois qui sert à tendre les cordes de la cithare.
6. **Boyau :** corde de la cithare.
7. **Tonna :** Zeus commande aux éclairs, à la foudre et au tonnerre.
8. **Le fils de Cronos le Fourbe :** Zeus (Cronos est parfois désigné comme un fourbe parce qu'il trompa son père Ouranos).
9. **Un présage :** un signe favorable.
10. **Trait :** flèche.

Hors du carquois[1], au fond duquel étaient restés les autres,
Ceux-là mêmes dont tâteraient bientôt les Achéens[2].
Le posant sur le manche, il tira la corde et l'encoche[3],
420 Et, sans même quitter son siège, il visa droit au but.
La flèche à la pointe d'airain[4], passant de hache en hache,
S'engagea par un trou et ressortit à l'autre bout
Sans en manquer aucune. Alors il dit à Télémaque :
« Télémaque, tu n'auras pas à rougir de cet hôte
425 Assis dans ton palais[5] ! j'ai visé juste et j'ai tendu
Cet arc sans faire aucun effort ; ma force est toujours là,
Quoi que ces prétendants aient pu me dire d'insultant.
Le moment est venu de leur servir un bon repas
Avant qu'il fasse nuit et de les régaler aussi
430 De musique et de chants, ces ornements de tout festin ! »
Et comme, de ses yeux, Ulysse lui faisait un signe,
Télémaque, son fils, se ceignit de son glaive[6] à pointe[7],
Reprit la lance en main et se dressa non loin de lui,
À côté de son siège, armé de bronze flamboyant.

Chant XXI, vers 378-434.

1. **Carquois :** étui qui sert à ranger des flèches.
2. **Dont tâteraient bientôt les Achéens :** auxquels les Achéens auraient affaire.
3. **L'encoche :** de la flèche.
4. **Airain :** bronze.
5. **Cet hôte assis dans ton palais :** c'est ainsi qu'Ulysse se désigne lui-même.
6. **Se ceignit de son glaive :** mit sa ceinture et fixa son glaive à sa taille.
7. **À pointe :** pointu.

REPÈRES

1. Au début du passage, Ulysse décide-t-il simplement de tenter sa chance à l'épreuve de l'arc ou a-t-il déjà pris une autre décision ?
2. À qui les prétendants croient-ils avoir affaire ? Ont-ils reconnu Ulysse ?
3. Sur quel ton parlent les prétendants quand ils voient qu'Ulysse manipule l'arc (v. 397-400 et 402-403) ?
4. Que signifie dans la bouche d'Ulysse : *« le moment est venu de leur servir un bon repas »* (v. 428) ?

OBSERVATION

5. De quelle manière le narrateur annonce-t-il ce qui va arriver ?
6. Comment est suggérée l'aisance d'Ulysse face à son arc ?
7. Étudiez l'importance du bruit et des sons au cours de cette scène.

INTERPRÉTATIONS

8. Quels personnages sont favorables à Ulysse ? Ont-ils un point commun ?
9. Quels personnages sont hostiles à Ulysse ? Qu'est-ce qui les caractérise ?
10. Dans ce passage, Ulysse se montre-t-il identique à lui-même ? Est-ce encore par la ruse qu'il triomphe ici de ses ennemis ?

DE LA LECTURE À L'ÉCRITURE

11. Imaginez les réflexions d'Ulysse tandis qu'il prend son arc en main.
12. Deux prétendants observent Ulysse et se moquent de lui. Imaginez leur conversation.

LE MASSACRE DES PRÉTENDANTS

Voici l'heure de la vengeance. Ulysse, qui vient de réussir l'épreuve de l'arc, se retourne contre les prétendants. Il a vu de quelle manière ceux-ci ont tenté de dévorer son bien, d'épouser sa femme et de régner sur ses terres. En outre, il n'oublie pas que, quelques instants plus tôt, certains d'entre eux l'ont insulté et battu.

Alors Ulysse l'avisé, rejetant ses haillons[1],
Bondit sur le grand seuil avec son arc et son carquois[2]
Rempli de traits ailés[3], et, tout en vidant le carquois
Devant lui, à ses pieds, il s'en vint dire aux prétendants :
5 « Le voilà terminé, ce jeu[4] qui n'était pas sans risque.
À présent, c'est un autre but, auquel nul n'a visé,
Que j'espère toucher, si Apollon comble mes vœux. »
Il dit et sur Antinoos[5] lança un trait amer.
L'autre était sur le point de soulever par les deux anses
10 Une très belle coupe en or ; déjà il la prenait
Pour s'abreuver de[6] vin ; son cœur était loin de songer
À la mort : qui pouvait penser que parmi ces convives,
Seul entre tant de gens, un homme, si vaillant[7] qu'il fût,

1. **Haillons :** guenilles, mauvais habits.
2. **Carquois :** étui qui sert à ranger des flèches.
3. **De traits ailés :** de flèches rapides.
4. **Ce jeu :** l'épreuve de l'arc.
5. **Antinoos :** prétendant de Pénélope qui, au chant XVII, a protesté contre la présence d'Ulysse dans le palais, et qui est même allé jusqu'à le frapper.
6. **S'abreuver de :** boire.
7. **Vaillant :** courageux.

Lui enverrait l'affreux trépas[1] et l'ombre de la Parque[2] ?
15 Ulysse tira donc et l'atteignit droit dans le cou ;
La pointe traversa de part en part la tendre nuque.
L'autre, alors, bascula ; la coupe lui tomba des mains,
Et, sous le choc, un flot épais jaillit de ses narines :
C'était du sang humain ! D'un brusque mouvement du pied,
20 Il renversa la table et fit tomber les mets[3] par terre ;
Pains et rôtis en furent tout souillés[4]. Les prétendants
Menèrent grand bruit[5] dans la salle en voyant tomber l'homme.
Sautant de leurs fauteuils, ils s'élancèrent dans la salle,
Et partout, sur les murs épais, ils cherchèrent des yeux
25 Où s'emparer d'un bouclier ou d'une forte lance.
Alors ils prirent Ulysse à partie et s'écrièrent :
« Étranger, quel forfait ! eh quoi ! tu tires sur des hommes !
Ce sera là ton dernier jeu : la mort est sur ta tête !
Car tu viens de tuer celui qui était le grand chef
30 Des jeunes gens d'Ithaque, et les vautours vont t'y manger ! »
Ainsi parlaient-ils tous, croyant qu'Ulysse avait tué
Cet homme par mégarde, insensés[6] qui ne voyaient pas
Que déjà les nœuds de la mort se refermaient sur eux !
Les fixant d'un œil torve[7], Ulysse l'avisé leur dit :
35 « Ah ! chiens ! vous vous imaginiez que du pays troyen[8]
Je ne reviendrais plus chez moi ! vous vidiez ma maison !

1. **Le trépas :** la mort.
2. **L'ombre de la Parque :** l'ombre de la mort. Dans la mythologie, les Parques sont trois fileuses qui figurent la destinée humaine. La première prend une mèche de coton (elle préside à la naissance de l'homme). La seconde la file sur sa quenouille (elle veille au déroulement de la vie). La troisième coupe le fil (elle représente la mort). Quand on dit simplement « la Parque », c'est à la troisième sœur que l'on pense.
3. **Les mets :** les plats.
4. **Souillés :** salis.
5. **Menèrent grand bruit :** firent beaucoup de bruit.
6. **Insensés :** fous.
7. **Torve :** dont le regard est menaçant.
8. **Du pays troyen :** de Troie.

Vous entriez de vive force[1] au lit de mes servantes !
Et, alors que j'étais vivant, vous courtisiez ma femme,
Sans redouter[2] les dieux, qui vivent dans le vaste ciel,
40 Sans penser qu'un vengeur humain pourrait surgir un jour !
Mais vous voici emprisonnés dans les nœuds de la mort ! »
Comme il disait ces mots, la terreur les fit tous verdir,
Et chacun cherchait de ses yeux où fuir la sombre mort.

Chant XXII, vers 1-43

1. **De vive force :** par force.
2. **Redouter :** craindre.

REPÈRES

1. Cette fois, les prétendants ont-ils reconnu Ulysse ?
2. Pourquoi Ulysse tue-t-il Antinoos ?
3. Pourquoi les prétendants réagissent-ils à la mort d'Antinoos ?
4. À quel moment les prétendants comprennent-ils qu'ils sont tous menacés ?

OBSERVATION

5. Comment la mort d'Antinoos est-elle décrite ?
6. Quels termes montrent la surprise des prétendants ?
7. Qu'est-ce qui montre, dans les propos d'Ulysse (v. 35-41), qu'il est désormais maître de la situation ?
8. À deux reprises, Ulysse fait allusion aux dieux : quelle aide attend-il de leur part ?
9. Relevez quelques expressions qui servent à désigner la mort. Pourquoi l'auteur a-t-il recours à des formulations différentes ?

INTERPRÉTATIONS

10. À quel moment sent-on la sympathie du narrateur pour Ulysse et son antipathie envers les prétendants ?
11. Pourquoi avons-nous l'impression qu'Ulysse agit au nom de la justice ?

DE LA LECTURE À L'ÉCRITURE

12. Ulysse entreprend de massacrer les autres prétendants. Décrivez la scène.
13. Un des prétendants prend la parole pour tenter de calmer Ulysse et l'inciter à l'indulgence. Imaginez son plaidoyer. Comment aborde-t-il Ulysse ? À quels arguments a-t-il recours ?

Ulysse et Pénélope. *Bas-relief, terre cuite, vers 450 av. J.-C.*
Paris, musée du Louvre.

PÉNÉLOPE HÉSITE À RECONNAÎTRE ULYSSE

Retirée au premier étage du palais, dans ses appartements privés, Pénélope n'a pas assisté au massacre des prétendants. Lorsque tout est terminé, que les cadavres ont été retirés, que la salle du banquet a été lavée du sang répandu, la servante Euryclée vient enfin trouver la reine. Elle lui annonce joyeusement le retour d'Ulysse. Mais dans un premier temps, Pénélope est si troublée qu'elle ne sait si elle doit croire la nouvelle.

85 Elle descendit donc l'étage, émue et ne sachant
Si elle allait interroger son cher époux de loin
Ou courir lui prendre les mains, la tête, et les baiser.
Quand elle fut entrée et eut franchi le seuil de pierre,
Elle s'assit au coin du feu, bien en face d'Ulysse,
90 Contre l'autre paroi[1] ; et lui, adossé au pilier,
Était assis, les yeux baissés, et attendait le mot
Que sa vaillante épouse lui dirait en le voyant.
Elle fut longtemps sans parler ; la stupeur[2] l'avait prise ;
Tantôt elle reconnaissait Ulysse en ce visage[3],
95 Tantôt elle ne voyait plus que ses méchants haillons.
Alors son fils[4], en la tançant[5], lui adressa ces mots :
« Que ton cœur est cruel, ô ma mère ! ô méchante mère !
Pourquoi te tiens-tu à distance, au lieu d'aller t'asseoir
En face de mon père et de l'interroger sur tout ?
100 Nulle autre femme ne pourrait s'obstiner comme toi

1. **L'autre paroi :** le mur qui fait face à Ulysse.
2. **Stupeur :** étonnement profond, qui semble engourdir tout le corps.
3. **Ulysse en ce visage :** elle retrouvait les traits d'Ulysse sur le visage qui était sous ses yeux.
4. **Son fils :** Télémaque.
5. **Tançant :** réprimandant, grondant.

À se tenir loin d'un époux qui, après tant d'épreuves
Et une absence de vingt ans, reviendrait au pays.
Mais ton cœur est resté plus dur que ne l'est un rocher ! »
La sage Pénélope, alors, lui fit cette réponse :
105 « Mon enfant, la surprise est là, qui me saisit le cœur.
Je ne puis prononcer un mot, ni le questionner,
Ni même le regarder dans les yeux. Mais si vraiment
Ulysse est de retour chez lui, nous nous reconnaîtrons
L'un l'autre sans difficulté, car il est entre nous
110 Certains signes cachés, que nous sommes seuls à savoir. »

Chant XXIII, vers 85-110.

REPÈRES

1. Pénélope mérite-t-elle les reproches que lui adresse Télémaque (v. 97 et 103) ?
2. Est-il surprenant qu'elle ne reconnaisse pas Ulysse ?

OBSERVATION

3. De quelle manière se déroule le face-à-face des deux époux (v. 89-92) ?
4. Pourquoi ne se parlent-ils pas ?
5. Comment l'hésitation de Pénélope est-elle traduite dans ce passage ?
6. Dans les vers 105-110, à qui s'adresse Pénélope ? Comment parle-t-elle d'Ulysse ?

INTERPRÉTATIONS

7. Quel est le personnage principal de la scène ?
8. Expliquez les sentiments des trois personnages.
9. Comment le narrateur laisse-t-il deviner que Pénélope va probablement reconnaître Ulysse ?

DE LA LECTURE À L'ÉCRITURE

10. Rompant le silence, Ulysse parle à Pénélope. Quelles paroles peut-il lui adresser ?
11. Athéna apparaît à Pénélope et lui confirme que c'est bien Ulysse qui se tient en face d'elle. Comment Pénélope réagit-elle alors ? Décrivez la scène.
12. Deux personnes se croisent. La première affirme qu'elle connaît l'autre ; la seconde ne sait pas qui est la première. Racontez la scène.

UNE DERNIÈRE ÉPREUVE

Une dernière épreuve, assez inattendue, attend donc Ulysse. Il doit se faire reconnaître de Pénélope, qui reste sur ses gardes. Mais avant toute chose, il va se débarrasser des guenilles de mendiant qui lui ont permis d'entrer dans le palais sans être remarqué par les prétendants.

Cependant Ulysse au grand cœur était rentré chez lui.
Eurynomé[1], après l'avoir baigné et frotté d'huile,
155 Le recouvrit d'une tunique et d'une belle écharpe.
Athéna[2] versa sur sa tête une auguste beauté,
Le rendit plus grand et plus fort, déroulant de sa nuque[3]
Des cheveux bouclés comme l'est la fleur de la jacinthe.
De même qu'un artiste habile, instruit par Héphaestos[4]
160 Et Pallas[5] Athéna dans les arts les plus variés,
Verse l'or sur l'argent[6] et fait de gracieux ouvrages :
Ainsi, sur sa tête et son buste, elle versa la grâce.
Quand il sortit du bain, on l'eût pris pour un Immortel[7].
Il se rassit dans le fauteuil qu'il venait de quitter,
165 En face de sa femme, et lui adressa ces paroles :
« Malheureuse ! il n'est point de faible femme à qui les dieux

1. **Eurynomé :** intendante du palais d'Ulysse.
2. **Athéna :** c'est elle qui avait donné à Ulysse l'allure d'un mendiant ; c'est donc elle qui lui rend son apparence de roi.
3. **Déroulant de sa nuque :** faisant tomber de sa nuque.
4. **Héphaestos ou Héphaïstos :** dieu de la forge et des forgerons, particulièrement habile à façonner toutes sortes d'objets.
5. **Pallas :** épithète rituelle d'Athéna, déesse de l'intelligence, de l'habileté, protectrice des tisserands et des brodeuses.
6. **Verse l'or sur l'argent :** pour dorer un objet.
7. **Un Immortel :** un dieu.

D'en haut aient donné plus qu'à toi un cœur impitoyable !
Nulle autre femme ne pourrait s'obstiner comme toi
À se tenir loin d'un époux qui, après tant d'épreuves
170 Et une absence de vingt ans, revient dans sa patrie !
Allons ! nourrice, donne-moi un lit, j'irai dormir
Tout seul, car c'est un cœur de fer qu'elle a dans la poitrine ! »
La sage Pénélope, alors, lui fit cette réponse :
« Non ! malheureux ! ce n'est chez moi ni orgueil ni mépris ;
175 Mon cœur est réticent[1] ; je sais trop bien quel tu étais[2],
Quand tu quittas Ithaque sur ta nef[3] aux longues rames.
Mais allons ! Euryclée[4], amène de la grande chambre
Le cadre en bois épais qu'il avait construit de ses mains.
Quand vous l'aurez porté dehors, mettez-y le coucher,
180 Les couvertures, les toisons[5] et les draps chatoyants[6]. »
Elle parlait ainsi pour l'éprouver. Alors Ulysse
En eut le cœur serré et dit à sa fidèle épouse :
« Femme, tu viens de prononcer un mot qui me torture.
Qui donc a déplacé mon lit ? L'homme le plus habile
185 N'aurait pas réussi sans le concours de quelque dieu,
Qui, rien qu'à le vouloir[7], l'eût transporté sans peine ailleurs ;
Mais aucun parmi les mortels, pour vigoureux qu'il fût[8],
N'eût pu le déplacer. Car il y a un grand secret
Dans son agencement[9], et c'est moi qui l'ai bâti.

1. **Réticent :** plein d'hésitation, de réserve.
2. **Quel tu étais :** comment tu étais.
3. **Nef :** navire.
4. **Euryclée :** nourrice d'Ulysse.
5. **Toisons :** peaux de bête.
6. **Chatoyants :** qui prennent des reflets changeants.
7. **Rien qu'à le vouloir :** par sa seule volonté.
8. **Pour vigoureux qu'il fût :** si vigoureux qu'il ait été, si grande qu'ait été sa vigueur.
9. **Il y a un grand secret dans son agencement :** son agencement est un grand secret.

190 Dans la cour s'élevait un rejet[1] d'olivier feuillu ;
Il était dru[2] et verdoyant, gros comme une colonne.
Je construisis autour de lui les murs de notre chambre,
En blocs appareillés[3], et les recouvris d'un bon toit,
Non sans y ménager d'épaisses portes sans fissures.
195 Ensuite je coupai la frondaison[4] de l'olivier,
Et, taillant le tronc jusqu'à la racine avec ma hache,
Je le polis soigneusement, le dressai au cordeau[5]
Et en fis un support que je perçai à la tarière[6].
Le prenant pour premier montant[7], je rabotai un lit[8]
200 Que j'ornai d'incrustations d'or, d'argent et d'ivoire ;
Pour finir, je tendis dessus des sangles de cuir rouge[9].
Voilà le secret dont je te parlais ; mais je ne sais
Si ce lit est encore en place, ô femme, ou si déjà
Un autre, pour le mettre ailleurs, a coupé la racine. »
205 Alors, reconnaissant les signes sûrs qu'il lui donnait,
La reine sentit défaillir[10] ses genoux et son cœur.
Tout en pleurant, elle courut vers lui, jeta ses bras
Au cou d'Ulysse et baisa son visage en s'écriant :
« Ulysse, ne te fâche pas ! tu as toujours été
210 L'homme le plus sensé. Nos malheurs nous viennent des dieux,
Qui nous ont refusé de vivre ensemble le bel âge.
Et de parvenir côte à côte au seuil de la vieillesse.
Aujourd'hui donc ne va pas te fâcher ni me blâmer !

1. **Rejet :** pousse née de la souche d'une plante ou d'un arbre.
2. **Dru :** touffu, épais (en parlant du feuillage d'un arbre).
3. **Appareillés :** taillés et disposés selon un ordre déterminé.
4. **Frondaison :** feuillage.
5. **Au cordeau :** bien droit. Un cordeau est une petite corde qu'on tend entre deux points pour matérialiser une ligne droite.
6. **À la tarière :** avec une tarière, un outil de fer dont les charpentiers, les menuisiers se servent pour faire des trous dans une pièce de bois.
7. **Montant :** un des quatre côtés du lit.
8. **Je rabotai un lit :** je fabriquai, à l'aide d'un rabot.
9. **Des sangles de cuir rouge :** pour composer le sommier.
10. **Défaillir :** s'affaiblir.

Si du premier abord[1] je ne t'ai pas ouvert mes bras,
215 C'est que mon cœur trembla toujours au fond de ma poitrine
Que quelque homme ne vînt ici m'abuser[2] de ses contes,
Car il y a tant de méchants qui ne pensent qu'à mal !
[...]
225 Maintenant que tu m'as fourni d'irréfutables[3] preuves
En décrivant ce lit qu'aucun mortel n'a vu,
Excepté toi et moi et une seule de nos femmes,
Actoris, qu'en venant ici, je reçus de mon père
Et qui gardait les portes de notre solide chambre,
230 Mon cœur se rend à tes raisons[4], quelque cruel qu'il soit ! »
Alors le désir de pleurer le reprit de plus belle,
Tandis qu'il étreignait sa tendre et fidèle compagne.
De même que la terre apparaît douce aux naufragés,
Quand Poséidon a fait sombrer en mer leur bon navire
235 Livré aux assauts conjugués[5] de la vague et du vent ;
Bien peu émergent de l'écume et nagent vers la terre,
Le corps entièrement couvert d'une couche de sel,
Mais trop heureux de prendre pied[6] et d'avoir fui l'orage :
De même elle eut beaucoup de joie à revoir son époux,
240 Et ses bras blancs ne pouvaient plus s'arracher à son cou[7].
L'aurore aux doigts de rose les eût trouvés sanglotant,
Si Athéna, la déesse aux yeux pers[8], n'eût décidé
De reculer le terme de la nuit[9] en retenant
L'aurore au trône d'or dans l'Océan[10], sans la laisser

1. **Du premier abord :** quand je t'ai vu d'abord.
2. **M'abuser :** me tromper.
3. **Irréfutables :** sûres, certaines.
4. **Se rend à tes raisons :** reconnaît que tu as raison.
5. **Conjugués :** unis.
6. **Prendre pied :** toucher la terre du pied.
7. **À son cou :** de son cou.
8. **Aux yeux pers :** expression fréquente chez Homère. L'adjectif « pers » signifie « entre le vert et le bleu ».
9. **Le terme de la nuit :** l'heure à laquelle la nuit s'achève.
10. **En retenant l'Aurore [...] dans l'Océan :** en retardant le lever du soleil.

245 Atteler ses coursiers[1] qui portent la lumière aux hommes,
Lampas et Phaéton, ces lestes poulains de l'aurore.

Chant XXIII, vers 153-217, 225-246.

Ulysse et Pénélope se sont donc retrouvés. Bientôt, Ulysse doit affronter les familles des prétendants, qui réclament vengeance. Au cours de ce dernier combat, Ulysse se montre courageux et remporte la victoire. Puis Athéna, sa fidèle protectrice, intervient pour ramener définitivement la paix à Ithaque.

1. **Ses coursiers :** ses chevaux.

REPÈRES

1. Au début du passage, Pénélope sait-elle à qui elle a affaire ?
2. Pourquoi attend-elle qu'Ulysse apporte la preuve de son identité ?
3. De quoi Pénélope parle-t-elle pour mettre Ulysse à l'épreuve ?
4. À quel moment considère-t-elle qu'Ulysse lui a donné une preuve suffisante ?

OBSERVATION

5. Sent-on une complicité entre les deux époux ? Sur quel ton se parlent-ils ?
6. Quelles précisions Ulysse donne-t-il sur la construction du lit ? Relevez les expressions qui montrent tout le soin qu'il a apporté à cette opération. Pourquoi entre-t-il dans les détails de la description ?
7. Comment est suggérée la tendresse des époux ?

INTERPRÉTATIONS

8. De quelles qualités Pénélope fait-elle preuve ?
9. Que représente symboliquement le lit dans ce passage ?
10. En quoi cette scène conclut-elle le récit ?

DE LA LECTURE À L'ÉCRITURE

11. Ayant reconnu Ulysse, Pénélope lui raconte quelle a été sa vie durant les vingt années où il est resté absent.
12. Pour fêter les retrouvailles des deux époux, les dieux multiplient les prodiges... Décrivez-en quelques-uns.
13. Imaginez une conversation entre les deux époux un mois après le retour d'Ulysse.

Il serait tentant d'imaginer qu'Ulysse, vainqueur de Troie, lorsqu'il rentre chez lui après vingt ans d'absence, débarque sur le rivage acclamé par son peuple et court vers sa femme qui lui tend les bras… Mais le texte d'Homère nous réserve plus d'une surprise et cette scène émouvante, que le lecteur se promet depuis le début de l'ouvrage, ne figure pas dans l'*Odyssée*.

Les surprises du récit

L'arrivée d'Ulysse à Ithaque ne fait l'objet d'aucune mise en valeur dans le récit. Ulysse est endormi quand les Phéaciens accostent et le déposent sur le rivage. À son réveil, il ne reconnaît même pas la terre qu'il a tant souhaité revoir. Et, loin de se réjouir, il commence à se plaindre :

« *Pauvre de moi ! en quel pays ai-je encore échoué ?*
Vais-je trouver des brutes, des sauvages sans justice,
Ou des êtres hospitaliers qui respectent les dieux ? »

(Chant XIII, v. 200-202.)

Cette inquiétude du héros est la première surprise que nous réserve le narrateur : en revoyant Ithaque, Ulysse ne ressent aucun soulagement !
Une seconde surprise nous attend bientôt : le fait que le retour d'Ulysse soit anonyme. Le héros prend soin, en effet, de cacher son identité à tous ceux qu'il rencontre. La lenteur qu'il met à se faire reconnaître surprend Athéna elle-même :

« *Tout autre se fût réjoui, après tant d'aventures,*
De retrouver à son foyer sa femme et ses enfants.
Mais toi, tu ne veux rien savoir ni t'informer de rien,
Avant d'avoir sondé ta femme ! »

(Chant XIII, v. 333-336.)

Ulysse veut juger par lui-même de la fidélité des siens. On ne peut être plus méfiant.

Le dernier point qui peut nous étonner est l'apparence qu'emprunte Ulysse pour retrouver Pénélope ou affronter les prétendants. Cédant à ses prières, Athéna le métamorphose en un pitoyable mendiant :

> « *Je riderai ta belle peau sur tes membres flexibles ;*
> *Je ferai choir tes cheveux blonds et te revêtirai*
> *De haillons, de quoi dégoûter quiconque te verra* »
> (Chant XIII, v. 398-400.)

Ulysse, roi d'Ithaque, revient dans son palais comme le plus misérable des hommes.

De nouvelles épreuves

Au cours de ses voyages, Ulysse a montré sa ruse et son courage ; à Ithaque, il doit faire preuve d'autres qualités, notamment de patience et de force physique.
Sous l'habit de mendiant, Ulysse subit les vexations que lui infligent les prétendants. L'un d'eux, Antinoos va jusqu'à le frapper (chant XVII, v. 462-464). Ulysse se laisse faire sans réagir. De même, quand il observe l'infidélité des serviteurs et des servantes, il reste impassible et se contente de murmurer : « *Patience, mon cœur !* » (chant XX, v. 18). L'héroïsme d'Ulysse consiste là à ne pas réagir trop vite, à prendre sur lui et à attendre stoïquement l'heure de la vengeance.
L'autre qualité dont Ulysse fait montre à Ithaque est la force physique, qui importe ici autant que la ruse. Lui seul parvient à tendre l'arc. Il surpasse ainsi les prétendants et relève le défi lancé par Pénélope. Il affronte alors ses rivaux, qu'il crible de flèches. Lorsque son carquois est vide, il se bat à l'épée aux côtés de son fils. À la fin du chant XXIV, il doit encore faire face aux parents de ceux qu'il a mis à mort. Ici, Ulysse se conduit vraiment en homme de guerre. Ses exploits s'apparentent à ceux des combattants de l'*Iliade*.

Les habitants d'Ithaque

Très vite, deux clans se dessinent parmi les habitants d'Ithaque. Ceux qui sont fidèles à Ulysse se montrent respectueux envers les étrangers. C'est pourquoi, bien qu'ils n'aient pas reconnu leur roi, ils lui apportent spontanément leur aide. C'est le cas du brave porcher Eumée et du bouvier Philœtios. C'est encore le cas d'Eurynomé, l'intendante du palais, ou d'Euryclée, la nourrice d'Ulysse, qui reconnaît son maître à la cicatrice qu'il a au pied.
Un autre clan est formé par les prétendants, qui, croyant Ulysse mort, veulent s'emparer de son trône. Parmi eux figurent Antinoos ou Eurymaque. Certains serviteurs du palais se sont mis à leur solde, notamment le chevrier Mélantheus et sa sœur Mélantho. Envers ceux qui l'ont trahi, Ulysse ne montre aucune pitié. Tous les prétendants sont abattus dans la salle où s'est tenu le banquet. Les servantes infidèles sont pendues dans la cour du palais (chant XXII, v. 465-473). Et l'infâme Mélantheus est traîné dans la rue pour subir un châtiment cruel :

« *D'un bronze sans pitié on lui trancha nez et oreilles ;*
Puis son membre arraché fut jeté tout sanglant aux chiens,
Et, pleins de rage, ils lui coupèrent les pieds et les mains »
(Chant XXII, v. 475-477.)

En cette circonstance, Ulysse se montre implacable.

Pénélope

À Ithaque, Ulysse combat aux côtés de son fils Télémaque, qui fait preuve de bravoure et de piété filiale. Il retrouve aussi son épouse. Si Pénélope est devenue, dans la littérature occidentale, le symbole même de la fidélité, on se tromperait pourtant en ne voyant en elle qu'une épouse soumise, attendant patiemment le retour de son mari. C'est une femme

déterminée et courageuse, qui est parvenue, sans l'aide de personne, à tenir tête aux prétendants.
Voyant que la guerre s'est achevée depuis des années et qu'Ulysse n'est pas revenu du combat, les prétendants ont en effet pressé Pénélope d'épouser l'un d'entre eux. Celle-ci diffère d'abord sa réponse, prétextant qu'elle doit avant toute chose finir son ouvrage. Elle gagne ainsi du temps : chaque nuit, elle défait ce qu'elle a accompli durant la journée, de sorte que son travail n'avance pas. Mais après trois ans, une servante dénonce son manège et Pénélope se voit à nouveau sommée de prendre un époux parmi les prétendants.
Elle imagine alors une autre ruse : elle affirme qu'elle épousera celui qui réussira à tendre l'arc d'Ulysse. L'idée est bonne : aucun d'entre eux ne parvient à relever le défi. Seul Ulysse se montre capable de bander l'arc et de décocher une flèche franchissant un alignement de vingt haches.
Mais même lorsque Ulysse a accompli ce tour de force et mis à mort tous les prétendants, Pénélope ne montre aucune hâte à le reconnaître. Elle demeure méfiante, craignant d'avoir affaire à un menteur ou un simulateur. En vraie femme de tête, elle attend qu'Ulysse lui fournisse une preuve indiscutable de son identité. Elle lui tend donc un piège. Parlant de déplacer le lit conjugal, elle l'amène à fournir un signe certain qu'il est le véritable Ulysse. Alors seulement les époux célèbrent leurs retrouvailles.
Par les ruses qu'elle imagine, par la fermeté et la méfiance dont elle fait preuve, Pénélope mérite notre admiration. Ce n'est pas seulement la femme d'un héros, mais une héroïne à part entière.

Comment lire l'œuvre

Résumé

Les extraits présentés figurent en italique.

Chant I. Assemblée des dieux. Athéna exhorte Télémaque

Invocation du poète à la muse (v. 1-10). Sur l'Olympe, les dieux délibèrent au sujet d'Ulysse (v. 11-95). Athéna se rend à Ithaque où, sous les traits d'un ancien hôte d'Ulysse, elle conseille à Télémaque de partir à la recherche de son père (v. 96-324). Télémaque prévient les prétendants que, le lendemain, il leur ordonnera de quitter le palais (v. 325-420). Ceux-ci n'en continuent pas moins de festoyer (v. 421-444).

Chant II. Assemblée des Ithaciens. Départ de Télémaque

Télémaque affronte les prétendants devant l'assemblée du peuple (v. 1-259). Athéna, qui a emprunté les traits de Mentor, réconforte Télémaque et lui promet de l'accompagner dans son voyage (v. 260-297). Télémaque fait ses préparatifs et quitte Ithaque (v. 298-434).

Chant III. Séjour de Télémaque à Pylos

En compagnie de Mentor-Athéna, Télémaque arrive à Pylos, chez Nestor (v. 1-101). Celui-ci n'a pas de nouvelles d'Ulysse et conseille à Télémaque d'aller en chercher à Sparte (v. 102-328). Nestor offre l'hospitalité à Télémaque (v. 329-472). Télémaque gagne Sparte par la terre (v. 473-497).

Chant IV. Séjour de Télémaque à Sparte

Télémaque arrive à Sparte. Au cours d'un banquet, Ménélas évoque le souvenir d'Ulysse (v. 1-305). Le lendemain, il apprend à Télémaque qu'Ulysse est vivant, mais que Calypso le retient auprès d'elle (v. 306-623). Pendant ce temps, à Ithaque, les prétendants trament la perte de Télémaque (v. 624-847).

Chant V. La grotte de Calypso. Le radeau d'Ulysse

Devant l'assemblée des dieux, Athéna plaide la cause d'Ulysse (v. 1-20). Sur l'ordre de Zeus (v. 21-42), Hermès demande à Calypso de rendre sa liberté à Ulysse (v. 43-150). Calypso s'incline et prévient Ulysse qu'il peut s'en aller (v. 151-227). Celui-ci se construit un radeau (v. 228-262). Il prend la mer et, après dix-sept jours de navigation, aperçoit la Phéacie (v. 263-281). Poséidon déclenche alors une tempête (v. 282-423). Ulysse parvient à s'approcher de la côte ; il gagne l'embouchure d'un fleuve et, dans un bois proche du rivage, s'endort épuisé (v. 424-493).

Chant VI. Arrivée d'Ulysse chez les Phéaciens

Athéna apparaît en songe à la fille du roi des Phéaciens, Nausicaa (v. 1-24). Elle lui conseille d'aller laver son linge près du lieu où sommeille Ulysse (v. 25-47). Nausicaa obéit et se rend sur place (v. 48-98). Tandis qu'elle joue avec ses compagnes, Ulysse se présente à elle (v. 99-185). Nausicaa lui remet vêtements et nourriture ; elle l'invite même à la suivre chez son père, Alkinoos (v. 186-315). Ulysse s'achemine vers la ville des Phéaciens et implore Athéna (v. 316-331).

Chant VII. Entrée d'Ulysse chez Alkinoos

Ulysse arrive dans la ville et, guidé par Athéna (qui a pris les traits d'une jeune fille), entre dans le palais d'Alkinoos (v. 1-145). Il explique à ses hôtes comment il est parvenu jusqu'à eux (v. 145-297). Alkinoos le reçoit généreusement et lui promet de l'aider à regagner Ithaque (v. 298-347).

Chant VIII. Réception d'Ulysse chez les Phéaciens

Un banquet est donné en l'honneur d'Ulysse (v. 1-265). L'aède Démodocos chante les amours adultères d'Arès et d'Aphrodite (v. 266-366). Le banquet bat son plein (v. 367-484). Mais quand Démodocos évoque la guerre de Troie (v. 485-520), Ulysse ne peut retenir ses larmes (v. 521-534). Alkinoos lui en demande la raison (v. 535-586).

Chant IX. Récits d'Ulysse. Les Cicones. Les Lotophages. Les Cyclopes

Ulysse dévoile son identité à Alkinoos (v. 1-38). *Puis il lui raconte comment,* après avoir quitté le rivage de Troie, il est arrivé chez les Cicones (v. 39-61). À la suite d'une tempête (v. 62-81), *il est parvenu chez les Lotophages* (v. 82-104), *puis chez les Cyclopes où il a affronté le cruel Polyphème* (v. 105-564).

Chant X. Éole. Les Lestrygons. Circé

Ulysse poursuit son récit. *Il a abordé chez Éole* à deux reprises (v. 1-79). Il a fait escale chez les Lestrygons, mangeurs de chair humaine (v. 80-134). *Il a séjourné chez la magicienne Circé, qui a changé ses compagnons en porcs, puis leur a rendu leur apparence humaine* (v. 135-574).

Chant XI. Évocation des morts

Ulysse poursuit son récit. *Parvenu chez les Cimmériens, il a invoqué les morts* (v. 1-50). Il s'est entretenu avec l'ombre d'un de ses compagnons, puis avec celle du devin Tirésias, qui lui a prédit l'avenir (v. 51-151). *Ulysse a conversé avec l'ombre de sa mère* (v. 152-224). Il a également dialogué avec des filles et des femmes de héros (v. 225-332). À cet instant de sa narration, Ulysse s'interrompt, mais Alkinoos lui demande de poursuivre son récit (v. 333-376). Ulysse raconte ce que lui ont dit les ombres d'Agamemnon, d'Achille, d'Ajax et d'autres héros encore, avant qu'il s'éloigne du rivage des Cimmériens (v. 377-640).

Chant XII. Les Sirènes. Scylla, Charybde. Les bœufs du Soleil

Ulysse poursuit son récit. Il raconte comment il est revenu chez Circé qui l'a mis en garde contre certains dangers (v. 1-143). Il a repris la mer et, grâce aux conseils de Circé, a échappé aux Sirènes (v. 144-200), puis à Charybde et à Scylla (v. 201-259). Comme ses compagnons avaient dévoré les bœufs du Soleil (v. 260-402), ils ont été punis par Zeus qui leur a envoyé une tempête

(v. 403-419). Ulysse a pu, toutefois, aborder chez Calypso (v. 420-449). Ainsi s'achève son récit (v. 450-453).

Chant XIII. Ulysse quitte les Phéaciens et aborde à Ithaque

Ulysse endormi est ramené à Ithaque par les Phéaciens (v. 1-124). Son retour déclenche la colère de Poséidon contre ceux-ci (v. 125-184). À son réveil, Ulysse ne reconnaît pas Ithaque (v. 185-221). Athéna le réconforte et lui apprend où il est (v. 221-371). Elle le met en garde contre les prétendants et lui donne, pour éviter qu'on le reconnaisse, l'apparence d'un mendiant (v. 372-440).

Chant XIV. Entretien d'Ulysse avec Eumée

Ulysse gagne la demeure d'Eumée par lequel il est accueilli (v. 1-190). Loin d'avouer sa véritable identité, il fait à Eumée un récit mensonger dans lequel il affirme qu'Ulysse pourrait bientôt rentrer chez lui (v. 191-359). Eumée refuse de croire qu'il puisse encore revenir à Ithaque (v. 360-409). Les porchers rentrent au domaine ; on dîne et on se prépare pour la nuit (v. 410-533).

Chant XV. Télémaque arrive chez Eumée

Athéna apparaît à Télémaque, lui recommande de revenir à Ithaque et lui fournit le moyen d'échapper aux prétendants (v. 1-43). Télémaque prend congé de Ménélas et d'Hélène (v. 44-181) et se hâte de rentrer (v. 182-300). Pendant ce temps, Ulysse parle à Eumée et recueille ses confidences (v. 301-495). Télémaque arrive à Ithaque (v. 495-557).

Chant XVI. Télémaque reconnaît Ulysse

Télémaque se présente chez Eumée et l'envoie annoncer son retour à Pénélope (v. 1-155). En l'absence d'Eumée, Ulysse se fait reconnaître de Télémaque (v. 156-219). Ensemble, le père et le fils décident de la conduite à tenir avec les prétendants (v. 220-320). Pendant ce temps, les prétendants et Pénélope apprennent le retour de Télémaque (v. 321-451). Eumée rentre chez lui (v. 452-481).

Chant XVII. Retour de Télémaque dans la ville d'Ithaque

Le lendemain, Télémaque quitte Eumée et Ulysse (v. 1-25), regagne le palais et se présente à sa mère (v. 26-60). Il lui rend compte de son voyage (v. 61-150). Théoclymène prédit qu'Ulysse, de retour dans sa patrie, trame la mort des prétendants (v. 151-165). Ceux-ci, ignorant tout, s'apprêtent à festoyer (v. 166-182). Ulysse, insulté par le chevrier Mélantheus, arrive au palais (v. 182-289). *Il est reconnu par son chien* (v. 290-327). *Dans la salle du palais, Ulysse passe en mendiant parmi les prétendants* (v. 328-444). Il est insulté et frappé par Antinoos (v. 445-491). Pénélope ne le reconnaît pas, mais souhaite s'entretenir avec lui (v. 492-588). Eumée quitte le palais (v. 589-606).

Chant XVIII. Pugilat entre Ulysse et Iros

Le mendiant Iros se présente au palais et tente de chasser Ulysse (v. 1-33). Les prétendants poussent les deux hommes à se battre ; Ulysse a l'avantage (v. 34-123). Toujours vêtu en mendiant, il laisse entendre qu'Ulysse pourrait bientôt rentrer chez lui (v. 124-157). Pénélope apparaît dans la salle du palais (v. 158-213). Elle s'adresse à Télémaque (v. 214-243) et parle d'épouser l'un des prétendants (v. 244-303). Tandis que ceux-ci festoient, Ulysse est insulté à deux reprises (v. 304-404). Télémaque ramène le calme (v. 405-428).

Chant XIX. Entretien d'Ulysse et de Pénélope. Le bain de pieds

Ulysse et Télémaque dissimulent les armes qui se trouvaient dans le palais (v. 1-52). Pénélope converse avec Ulysse, qu'elle prend toujours pour un mendiant (v. 53-307). Euryclée, en lavant les pieds d'Ulysse, le reconnaît à sa cicatrice, mais ne le dit à personne (v. 308-507). Pénélope confie à Ulysse un songe, qu'il interprète favorablement (v. 508-558). Elle lui annonce qu'elle va proposer aux prétendants l'épreuve de l'arc (v. 559-605).

Chant XX. Avant le massacre des prétendants

Pendant la nuit, chacun de son côté, Ulysse et Pénélope ont du mal à dormir (v. 1-90). Ulysse reçoit de Zeus un signe favorable (v. 91-121). On prépare un festin pour les prétendants, qui, une fois servis, perdent toute mesure (v. 122-394).

Chant XXI. L'épreuve de l'arc

Pénélope propose aux prétendants l'épreuve de l'arc (v. 1-79). Télémaque échoue (v. 80-139), ainsi que les autres prétendants (v. 140-187). Ulysse sort du palais et se fait reconnaître d'Eumée et de Philœtios (v. 188-244). Alors que les prétendants veulent différer l'épreuve, *Ulysse demande à participer au concours et parvient à lancer la flèche* (v. 245-434).

Chant XXII. Le massacre des prétendants

Ulysse tue Antinoos et révèle son identité aux prétendants (v. 1-43). Il tue également Eurymaque et Amphinomos (v. 44-98). En allant chercher des armes, Télémaque laisse ouverte la porte du trésor et Mélantheus parvient à armer les prétendants (v. 99-149). Mélantheus est aussitôt puni (v. 150-202). Athéna vient assister au combat et à la victoire d'Ulysse (v. 203-329). Celui-ci épargne l'aède Phémios et le héraut Médon (v. 330-380). Mais il ne fait grâce ni aux prétendants, ni aux servantes infidèles, ni à Mélantheus (v. 381-501).

Chant XXIII. Pénélope reconnaît Ulysse

Euryclée annonce à Pénélope le retour d'Ulysse et la mort des prétendants (v. 1-57). Mais *Pénélope se montre sceptique. Même quand elle revoit Ulysse, elle hésite à le reconnaître* (v. 58-110). *Toutefois, dès lors qu'il lui fournit des preuves de son identité, elle se réjouit de le revoir* (v. 111-246). Les deux époux conversent tendrement (v. 247-372).

Chant XXIV. Aux Enfers, la paix et les traités

Les prétendants arrivent aux Enfers et s'entretiennent avec l'ombre d'Achille et d'Agamemnon (v. 1-204).

À Ithaque, Ulysse rend visite à son père (v. 205-411). Les parents des prétendants s'unissent et vont demander des comptes à Ulysse (v. 412-471). Celui-ci les affronte et remporte l'avantage (v. 472-527). Athéna rétablit finalement la paix sur l'île (v. 528-548).

Structure de l'œuvre

La division de l'*Odyssée* en vingt-quatre chants ne date pas d'Homère. C'est un découpage tardif, si commode qu'il n'a jamais été remis en cause.
Ces vingt-quatre chants forment deux blocs qui se distinguent nettement l'un de l'autre. Les douze premiers sont centrés autour d'une question unique : Ulysse parviendra-t-il à rentrer chez lui ? L'enjeu des douze derniers chants est de savoir si Ulysse réussira à se débarrasser des prétendants et à reprendre le pouvoir. Le chant XIII – qui décrit l'arrivée à Ithaque – représente une charnière entre ces deux grandes parties de l'œuvre, l'une peuplée de créatures surnaturelles, riche d'épisodes merveilleux, l'autre plus sobre et plus humaine.
On peut également considérer que l'*Odyssée* se compose non de deux, mais de trois parties bien distinctes. En effet, le voyage de Télémaque (chants I à IV) compose un préambule, centré certes sur le retour d'Ulysse, mais très différent du récit de ses voyages. Le personnage principal est ici Télémaque et non Ulysse, ce qui introduit une différence sensible entre ce début et les chants V à XII. Cette introduction, que les lecteurs d'Homère ont très tôt considérée comme une partie du récit autonome, distincte de la suite, est parfois appelée « la Télémachie » (l'aventure de Télémaque). Elle est sui-

vie des voyages d'Ulysse lui-même, puis du dénouement à Ithaque qui associe Ulysse et Télémaque. Des trois parties du récit, la première met donc en scène le fils, la seconde, le père, et la troisième les met tous deux en présence.

Dynamique du récit

Le héros de l'*Odyssée* a un but : retourner à Ithaque, pour retrouver la place qui était la sienne avant la guerre de Troie. Pour cela, il doit affronter ceux qui l'empêchent de rentrer chez lui. Ces opposants peuvent être classés en trois catégories.

– Les uns charment Ulysse et entreprennent de lui faire oublier le lieu d'où il vient. C'est le rôle que jouent Calypso, Circé ou les Lotophages. Ces hôtes trop accueillants exposent Ulysse aux charmes de la séduction.

– Les autres ralentissent Ulysse, le détournent d'Ithaque, prolongent indéfiniment son voyage. Ils agissent tantôt par maladresse (les compagnons d'Ulysse commettent plusieurs erreurs involontaires qui les éloignent de leur destination), tantôt de manière intentionnelle (Poséidon déclenche délibérément une succession de tempêtes). Ces opposants font courir à Ulysse le risque de rester éternellement vagabond.

– Les derniers se comportent en ennemis. Ils se battent contre Ulysse et ses compagnons. C'est le cas des Lestrygons, des Cyclopes, des Sirènes ou encore de Charybde et de Scylla. Ces figures hostiles mettent Ulysse et les siens en danger de mort.

Heureusement, face à des opposants, se dressent quelques « aides ». Les uns interviennent directement en faveur d'Ulysse (Athéna ou Zeus). D'autres lui font part d'informations capitales qui lui seront d'un précieux secours (Hermès, Tirésias). D'autres enfin le traitent en hôte et l'aident à parvenir au terme de son voyage (Nausicaa, Alkinoos). En fait, ces aides sont peu nombreux : le plus souvent, Ulysse ne peut compter que sur les ressources de sa propre intelligence.

On notera que l'opposition entre les créatures hostiles et les figures favorables n'est pas absolument rigide. Car bonnes ou mauvaises intentions ne se traduisent pas toujours dans les faits. Ainsi Éole, plein de sympathie envers Ulysse, ne l'aide pas à rentrer chez lui, bien qu'il lui offre l'outre emplie de vent. En revanche, Circé, alors même qu'elle ne souhaite pas le retour d'Ulysse à Ithaque, lui apporte une aide réelle en le prévenant des dangers qui l'attendent.

Quand il atteint enfin le rivage d'Ithaque, Ulysse affronte un autre type d'opposants. Ses nouveaux ennemis sont les prétendants (comme Antinoos), les serviteurs déloyaux (tel Mélantheus) ou les servantes infidèles (comme Mélantho). À peine ceux-ci sont-ils réduits à néant que surgissent d'autres opposants : les parents des prétendants viennent en armes demander raison à Ulysse du massacre qu'il a commis. Un second combat s'engage alors, dont Ulysse sort à nouveau victorieux.

Dans cette partie de l'œuvre, les aides sont Télémaque, le porcher Eumée et le bouvier Philœtios. Ce sont aussi les bonnes servantes : la nourrice Euryclée et l'intendante Eurynomé. Mais l'aide la plus importante vient d'Athéna qui accueille Ulysse à Ithaque, lui donne, puis lui enlève l'apparence d'un mendiant, et l'assiste enfin dans ses combats. C'est elle encore qui rétablit la paix dans l'île. Elle transforme ainsi Ulysse, combattant farouche, en un roi pacifique.

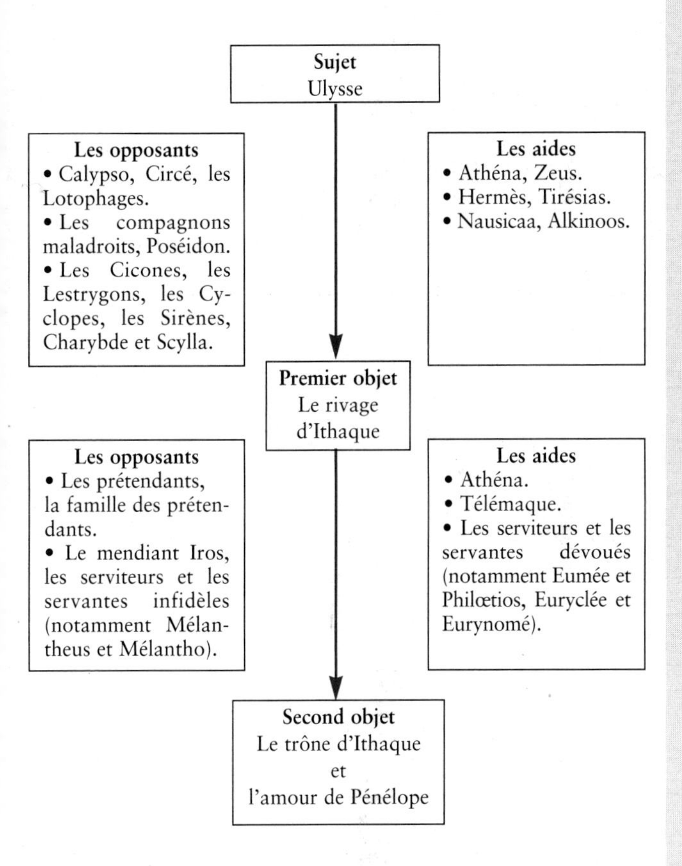

Les personnages

Père et fils

Ulysse

Ulysse est un héros légendaire « *dont les ruses sont fameuses partout et dont la gloire atteint le ciel* » (chant IX, v. 19-20). Il brille par son intelligence, son audace et sa force : nous le voyons triompher des ennemis les plus divers et se tirer des situations les plus périlleuses. Pourtant, Homère ne le présente pas comme un être hors du commun, presque égal aux dieux. Dans le récit, il apparaît comme un homme ordinaire, en tout point semblable aux autres.

Ainsi, physiquement, Ulysse n'a rien de remarquable. Sans doute sa force est-elle unique : à Ithaque, il est le seul qui réussisse à tendre l'arc. Par la suite, il affronte la foule des prétendants (chant XXII), puis celle de leurs parents (chant XXIV). Pourtant, son apparence n'est pas celle d'un héros. Sur la foi de son renom, ceux qui ne l'ont jamais vu imaginent un être d'une tout autre stature. C'est le cas de Polyphème, auquel un oracle avait annoncé l'arrivée d'Ulysse :

> « Mais moi, je m'attendais toujours à rencontrer ici
> Un grand et beau mortel, doué d'une vigueur extrême ;
> Et c'est un gringalet, une mauviette, un rien du tout
> Qui m'a crevé mon œil en me terrassant par le vin ! »
>
> Chant IX, v. 513-516.

Au cours de ses épreuves, Ulysse se comporte comme un homme ordinaire, jamais comme un surhomme, certain de sa victoire. Il est accessible à tous les sentiments, même à la peur et au doute. Ainsi, comme ses

compagnons, il tremble en entendant gronder la terrible voix du Cyclope. Ulysse est également un homme sensible. Il pleure en songeant à ses compagnons disparus. Il est ému en retrouvant sa mère. Il s'attendrit en revoyant son chien. Il se trouble face à Pénélope... Malgré son courage, il est loin d'être un héros que rien ne désarmerait.
Ce personnage nous touche encore par le fait qu'il ne se conduit jamais en roi orgueilleux. Au contraire, il se montre simple et humain envers les êtres ordinaires. Il fait confiance à sa nourrice Euryclée. Il écoute amicalement les confidences du porcher Eumée. Au besoin, il n'hésite pas à emprunter un habit misérable et à s'exposer aux insultes et aux humiliations des prétendants. Fort et sensible, prince et mendiant, Ulysse est un personnage dont chacun peut se sentir proche.

Télémaque

Moins illustre que son père, Télémaque affirme progressivement son autorité au cours de l'*Odyssée*. Sa première démonstration de force, au chant I, est de dire aux prétendants qu'il ne supportera bientôt plus leur présence dans le palais. C'est pourquoi ils songent à le tuer. Mais en quittant Ithaque, Télémaque parvient à leur échapper : il est ici plus habile que ses ennemis.
Quand il se présente chez Nestor et Ménélas, on admire sa prestance. On s'étonne également de sa ressemblance avec son père. Ménélas et Hélène en sont tous deux frappés :

> « Ce sont bien là ses pieds, ses mains, l'éclair de son regard ;
> C'est bien sa tête et, sur le front, la même chevelure »
> Chant IV, v. 149-150.

L'enfant qu'Ulysse avait laissé à son départ pour Troie est devenu un homme. L'écart semble s'être réduit entre le fils et le père.
Revenu à Ithaque (le plus discrètement possible, pour échapper au complot), Télémaque parvient à rassurer sa mère et à intimider les prétendants. Au chant XXII, il aide Ulysse à massacrer ses ennemis. Ainsi, au fil du texte, Télémaque s'affirme progressivement pour devenir, lors des derniers chants, un adulte et un combattant, digne fils d'un père illustre.

Les personnages féminins

Au cours de ses aventures, Ulysse rencontre des créatures divines aussi bien que de simples mortelles. Séductrices au charme redoutable ou humbles gardiennes du foyer, les personnages féminins jouent ici un rôle considérable.

Des séductrices redoutables

Les séductrices ont souvent une nature divine ou du moins, elles possèdent des pouvoirs surnaturels. Calypso est une nymphe, Circé, une magicienne. Au nombre des créatures surnaturelles qui charment les hommes, figurent également les Sirènes, dont la voix merveilleuse enchante les marins. Sachant que ses compagnons ne pourront résister à leur appel, Ulysse prend soin, quand il passe auprès d'elles, de remplir leurs oreilles de cire. Mais lui-même se fait attacher au mât du navire, pour écouter leur chant tout à loisir.
Chacune de ces héroïnes fascinantes joue en fait un rôle inquiétant. Calypso retient Ulysse dans son île et

l'empêche ainsi de revenir à Ithaque. Il faut l'intervention de Zeus pour qu'elle accepte de le laisser partir. Circé transforme les hommes en chiens, en loups et en cochons. Elle pourrait même ravir à Ulysse « *sa force et sa virilité* » (chant X, v. 301), s'il n'était protégé par le *moly*, herbe magique donnée par Hermès. Les Sirènes sont plus terribles encore : elles dévorent les marins qu'elles attirent à elles. Il existe ici un lien obscur entre le désir et la mort. Ces créatures fascinent les hommes pour mieux les détruire.

Des femmes vertueuses

À ces figures envoûtantes et maléfiques s'opposent des femmes ordinaires, qui incarnent les vertus domestiques.

Anticlée, la mère d'Ulysse, fait preuve envers son fils d'une générosité toute maternelle. Quand elle s'entretient avec lui (chant IX), elle ne songe pas à se plaindre et ne pense qu'à lui.

Euryclée, la vieille nourrice d'Ulysse, le reconnaît à sa cicatrice, quand elle lui lave les pieds. Mais elle sait tenir sa langue et ne dévoile pas le retour de son maître.

Pénélope enfin, épouse courageuse et fidèle, est un modèle de vertu conjugale. C'est une femme ordinaire, souvent atteinte par le découragement et l'inquiétude, qui se bat pendant vingt ans pour rester fidèle à son mari. Elle tient tête aux prétendants, résiste à leurs avances. Elle se méfie même d'Ulysse, tant qu'il ne lui a pas fourni la preuve indiscutable de son identité. Mère et épouse admirable, Pénélope est à la fois irréprochable et touchante.

Pénélope. *Sculpture d'Antoine Bourdelle (1861-1929), bronze. Paris, musée Antoine-Bourdelle.*

Une complice idéale : Athéna

Il est pourtant une figure qui concilie la toute-puissance du divin et la familiarité de l'humain, la ruse et le courage, l'adresse et la bonté. C'est la déesse Athéna, qui protège et admire Ulysse. Elle explique elle-même l'affection qu'elle éprouve pour le mortel aux mille ruses :

> « ... Nous sommes deux au jeu :
> Si de tous les mortels, tu es le plus fort en calculs
> Et en discours, moi je suis fameuse entre tous les dieux
> Pour l'esprit et les tours. »
>
> Chant XIII, v. 296-299.

Déesse de la guerre et de la raison, protectrice des arts manuels, Athéna tient le parfait équilibre entre les immortelles, séduisantes et redoutables, et les femmes, loyales et courageuses.

Les dieux et les hommes

Les dieux de l'Olympe, qui décident du sort des humains, inspirent à Ulysse le plus grand respect. Il ne manque jamais de leur rendre ses devoirs, accomplissant sacrifices et libations chaque fois qu'il le peut. En même temps, il entretient des rapports familiers avec ces dieux qui empruntent si volontiers les traits des mortels et éprouvent tous les sentiments humains.

L'aptitude au déguisement

Quand les dieux apparaissent aux hommes, ils peuvent prendre l'allure et le visage de n'importe quelle créature. Athéna emprunte la forme d'une hirondelle quand elle assiste au combat d'Ulysse contre les Ithaciens. C'est sous les traits de Mentor qu'elle accompagne Télémaque à Pylos. Pour parler à Ulysse, qui vient d'aborder à Ithaque, elle choisit les traits d'un jeune garçon. L'habileté des dieux à se déguiser est telle qu'Alkinoos, lorsqu'il voit Ulysse pour la première fois, se demande s'il a vraiment affaire à un humain. « *Peut-être est-ce un Immortel qui nous descend du ciel* », songe-t-il (chant VII, v. 199). Ulysse s'empresse de le détromper :

> « Alkinoos, tu n'y es pas ! je n'ai rien de commun,
> Pour les traits ni pour la stature, avec les Immortels
> Qui règnent sur le vaste ciel ; je ne suis qu'un humain »
>
> Chant VII, v. 208-210.

Ces vers soulignent un trait de la religion homérique qui peut nous surprendre : l'extraordinaire proximité des hommes et des dieux, et l'aptitude qu'ont ceux-ci à surgir sur terre, sans que rien ne signale leur nature divine.

Des sentiments humains

Cette habileté des dieux à se cacher sous les traits des humains leur permet d'entretenir des rapports étonnamment familiers avec les hommes. Ulysse a des relations très simples avec les immortels. Ses rapports sont cordiaux avec Hermès, complices avec Athéna, amoureux avec Circé et Calypso… En revanche, il se méfie de Poséidon qui se montre envers lui coléreux et rancunier. Car les dieux, de leur côté, manifestent vis-à-vis des hommes tous les sentiments, nobles ou mesquins, que peuvent éprouver les êtres humains. La distance qui sépare mortels et immortels n'est pas considérable.

Correspondances

- Euripide, *Les Troyennes*, 415 av. J.-C., v. 48-97.
- Jean Giraudoux, *Amphitryon 38*, 1929, acte II, scène 4.
- Suzanne Saïd, *Homère et l'Odyssée*, 1998.

1

Au fil des siècles, dans des genres littéraires différents, les dieux changent de visage : ceux de l'épopée ne sont pas ceux de la tragédie. Au début des *Troyennes* d'Euripide, on voit comment Athéna, inconstante et coléreuse, décide, presque par caprice, de châtier durement les Grecs. Ce texte, composé trois siècles après celui d'Homère, montre des dieux cruels, qui s'entendent aisément entre eux pour éprouver les mortels.

« ATHÉNA. Parent le plus proche de mon père, dieu puissant et que le ciel honore, permets-tu qu'abdiquant notre haine ancienne, je vienne te parler ?
POSÉIDON. Oui, auguste Athéna. Converser en famille offre un charme où le cœur s'abandonne aisément.
ATHÉNA. J'aime ton humeur douce. Je t'apporte un projet qui t'intéresse autant que moi-même, seigneur.
POSÉIDON. Un avis général, venant de quelque dieu, de Zeus peut-être, ou bien d'un autre être divin ?
ATHÉNA. Non, il s'agit de Troie dont nous foulons le sol. Je viens pour allier ta puissance à la mienne.
POSÉIDON. Est-ce que, renonçant à ta haine ancienne, tu prends Troie en pitié, depuis qu'elle est en cendres ?
ATHÉNA. Reviens d'abord au fait : veux-tu t'associer à mon plan et prêter ton aide à mes desseins ?
POSÉIDON. Oui, mais enfin je veux connaître ton projet. Concerne-t-il les Grecs ou bien les Phrygiens ?
ATHÉNA. Je veux réjouir Troie, mon ancienne ennemie, et infliger aux Grecs un douloureux retour.
POSÉIDON. Pourquoi sauter ainsi d'un sentiment à l'autre et, sans mesure, haïr et aimer au hasard ?
ATHÉNA. Ne sais-tu pas l'affront qu'on m'a fait dans mon temple ?
POSÉIDON. Oui, quand, de force, Ajax a entraîné Cassandre.
ATHÉNA. Et les Grecs ne l'en ont ni puni, ni blâmé.
POSÉIDON. C'est ton appui pourtant qui leur fit prendre Troie.
ATHÉNA. Aussi, unie à toi, je veux les châtier.
POSÉIDON. Compte sur mon concours. Qu'as-tu dessein de faire ?

ATHÉNA. Je veux leur infliger un funeste retour.
POSÉIDON. Pendant qu'ils sont à terre, ou sur les flots amers ?
ATHÉNA. Quand ils navigueront de Troie vers leurs demeures. Zeus leur enverra des torrents de pluie et de grêle, avec des ouragans qui obscurciront le ciel. Il promet de me donner le feu de sa foudre pour en frapper les Achéens et embraser leurs vaisseaux. Toi, de ton côté, fais retentir sur leur route égéenne le fracas des vagues amoncelées et les tourbillons de l'onde salée ; remplis de cadavres la mer creuse de l'Eubée, pour que les Achéens apprennent à vénérer désormais mes sanctuaires et à honorer les autres dieux.
POSÉIDON. Ce sera fait ; pour obtenir ce service, point n'est besoin de longs discours. Je bouleverserai les eaux profondes de la mer Égée. Les rivages de Myconos, les récifs de Délos, et Scyros, et Lemnos, et le promontoire de Capharée recevront les cadavres d'innombrables victimes. Allons, monte dans l'Olympe, reçois des mains de ton père les traits de la foudre, et attends que la flotte grecque ait délié ses câbles.

Athéna quitte la scène.

Insensé le mortel qui détruit les cités et livre à l'abandon les temples et les tombes, asiles saints des morts : sa perte s'ensuivra.

Poséidon s'éloigne. »

Euripide, *Les Troyennes*, 415 av. J.-C., v. 48-97,
trad. Léon Parmentier,
« Universités de France », Les Belles Lettres, 1925.

2

Dans la pièce de Jean Giraudoux, *Amphitryon 38*, Jupiter a annoncé qu'il viendrait visiter Alcmène, l'épouse d'Amphitryon, qui est une simple mortelle. Mais on ne sait encore quelle apparence le dieu va emprunter. Aura-t-il la forme d'un cygne (comme lorsqu'il vint voir Léda), d'un taureau (comme lorsqu'il séduisit Europe) ou celle d'une pluie d'or (comme quand il s'unit à Danaé) ? La merveilleuse aptitude des dieux au déguisement excite la curiosité de la nourrice d'Alcmène, Ecclissé.

Europe et Zeus métamorphosé en taureau. Gravure d'après un vase grec. Paris, Bibliothèque des Arts décoratifs.

« ALCMÈNE. Je ne t'ai jamais vue aussi folle !
ECCLISSÉ. Oh oui, maîtresse, folle et affolée ! Car sous quelle forme va-t-il venir ? Par le ciel, par la terre, par les eaux ? En dieu, en animal, ou en humain ? Je n'ose plus chasser les oiseaux, il est peut-être en ce moment un des leurs. Je n'ose résister au chevreuil apprivoisé, qui m'a poursuivie et cornée. Il est là, le gentil animal, qui piaffe et brame dans l'antichambre. Peut-être dois-je lui ouvrir ? Mais qui sait, peut-être est-il au contraire ce vent qui agite les rideaux ! J'aurais dû mettre le rideau rouge ! Peut-être est-ce lui qui effleure, en ce moment, les épaules de ta vieille nourrice. Je tremble, un courant m'agite. Ah ! je suis dans le sillage d'un immortel ! Ô maîtresse, c'est en ceci que Jupiter aujourd'hui a été le plus habile : chacun de ses êtres et de ses mouvements peut être pris pour un dieu ! Oh ! regarde, qui entre là, par la fenêtre !
ALCMÈNE. Tu ne vois pas que c'est une abeille… Chasse-la !
ECCLISSÉ. Certainement non ! C'est elle ! C'est lui, veux-je dire, lui en elle, en un mot ! Ne bougez pas, maîtresse, je vous en supplie ! Ô salut, abeille divine ! Nous te devinons.
ALCMÈNE. Elle s'approche de moi, à l'aide !
ECCLISSÉ. Que tu es belle en te gardant ainsi ! Ah ! que Jupiter a raison de te faire danser ce pas de crainte et de jeu. Aucun ne révèle plus ta candeur et tes charmes… Sûrement elle va te piquer.
ALCMÈNE. Mais, je ne veux pas être piquée !
ECCLISSÉ. Ô piqûre bien-aimée ! Laisse-toi piquer, ô maîtresse ! Laisse-la se poser sur ta joue. Oh ! c'est lui sûrement, il cherche ta poitrine ! *(Alcmène abat et écrase l'abeille. Elle la pousse du pied.)* Ciel ! Qu'as-tu fait ? Quoi, pas de foudres, pas d'éclair ! Infâme insecte, qui nous fait de ces peurs ! »

Jean Giraudoux, *Amphitryon 38*, acte II, scène 4, Grasset, 1929.

En fait, Jupiter prend l'apparence la plus discrète qui soit : il emprunte les traits d'Amphitryon, le propre époux d'Alcmène ! Ainsi, la reine va s'offrir en toute innocence aux caresses du dieu, sans même se rendre compte qu'elle trompe son mari. De cette union va naître un fils, mi-dieu mi-homme : Héraclès.

3

Il existe entre l'*Iliade* et l'*Odyssée* des différences sensibles, et notamment dans la manière dont les dieux sont représentés. Souvent coléreux et injustes dans l'*Iliade*, ils paraissent dans l'*Odyssée* plus justes et plus doux. En outre, ils sont infiniment moins divisés que dans l'*Iliade*, comme le montre ici Suzanne Saïd.

« L'univers divin de l'*Odyssée* est assez différent de celui de l'*Iliade*. Il est d'abord plus restreint. Une divinité comme Héra, qui jouait un rôle important dans l'*Iliade*, est à peu près complètement absente de l'*Odyssée* (elle intervient uniquement pour mener à bon port le vaisseau d'Agamemnon). Il est aussi moins conflictuel. Les deux assemblées des dieux qui décident le retour d'Ulysse se déroulent toutes deux en l'absence de son principal adversaire, Poséidon, et le double projet d'Athéna ne se heurte à aucune opposition.
Zeus ne semble avoir aucune difficulté à se faire obéir des autres dieux : au chant V, Hermès et Calypso se plient (même si c'est à contrecœur) à ses volontés, l'un en se rendant au bout du monde, l'autre en renvoyant Ulysse, car ils savent qu'"il est impossible à un dieu d'esquiver ou de nier les décisions du Porte-égide" (V, 103-104 = 137-138). Au chant XIII, Poséidon souligne qu'il a certes infligé des épreuves à Ulysse, mais qu'il ne l'a pas privé d'un retour que Zeus lui avait solennellement promis (v. 131-133) et il demande au maître des dieux la permission de châtier les Phéaciens, car il "craint

sa colère et cherche à l'éviter" (v. 148). Cette conduite est d'autant plus frappante qu'elle s'oppose en tous points à celle du Poséidon de l'*Iliade*, qui n'hésitait pas, au chant XIV, à enfreindre les ordres de Zeus pour aider les Grecs et ne s'inclinait qu'à grand peine au chant XV.
[...] Même quand leurs intérêts s'opposent directement, les dieux de l'*Odyssée* respectent, jusque dans leurs affrontements, les normes qui président au bon fonctionnement d'une société aristocratique et ne remettent jamais en cause le partage des pouvoirs. »

Suzanne Saïd, *Homère et l'Odyssée*, « Sujets », Belin, 1998.

Les lois de l'hospitalité

Un devoir sacré

Dans la vie de tous les jours, c'est notamment en observant les lois de l'hospitalité que les hommes manifestent leur respect pour les dieux. En effet, l'obligation d'accueillir chez soi tout voyageur même inconnu est pour les Grecs un devoir religieux. Le protecteur des hôtes et des suppliants n'est-il pas Zeus lui-même ? Lorsqu'un étranger se présente, son hôte doit lui offrir la possibilité de se laver, de se changer, de se nourrir. Il doit l'héberger et même, s'il en est besoin, l'aider à rentrer chez lui. La coutume est enfin de lui offrir un cadeau. Il va de soi que l'hospitalité introduit un échange : celui qui a été accueilli chez un hôte s'empressera de le recevoir à son tour et de lui rendre les mêmes honneurs que ceux qu'on lui a témoignés.
L'hospitalité emprunte bien sûr des formes différentes, selon la fortune de chacun. À la cour de Ménélas ou

d'Alkinoos, elle se traduit par un banquet luxueux, parfois rythmé par les chants d'un aède. Mais même un porcher peut honorer son hôte en lui offrant de partager son repas et son toit. C'est ce que fait Eumée quand il recueille Ulysse.

Bons et mauvais hôtes

Les rites d'hospitalité occupent une place importante dans l'*Odyssée*, comme d'ailleurs dans tout récit de voyage. Télémaque, quand il va chercher des nouvelles de son père, Ulysse, quand il s'aventure dans des contrées inexplorées, et même quand il rentre chez lui vêtu de haillons, se remettent chaque fois entre les mains d'un hôte, dont le rôle est déterminant.

Certains hôtes sont exemplaires. Nestor et Ménélas traitent Télémaque avec douceur et affection. Éole accueille Ulysse durant un mois dans son palais et à sa table. Il lui offre en cadeau l'outre contenant les vents. Alkinoos fait lui aussi honneur à Ulysse et l'aide à regagner Ithaque. Eumée se montre plein d'humanité envers le mendiant qui frappe à sa porte. Pénélope, enfin, s'indigne à l'idée qu'on puisse maltraiter ceux que la religion impose de recevoir.

Mais les mauvais hôtes ne manquent pas non plus dans l'*Odyssée*. Les Lestrygons dévorent leurs hôtes au lieu de les nourrir. Polyphème est un monstre criminel. Et s'il laisse croire à Ulysse qu'il lui offrira un présent d'hospitalité, c'est par pure cruauté. Enfin, les prétendants, alors même qu'ils sont reçus généreusement dans le palais, n'hésitent pas à maltraiter ceux qui s'y présentent. Ils insultent et frappent Ulysse au lieu de l'associer au festin qui leur est offert.

Un geste en appelle un autre

C'est par cette formule, « *Un geste en appelle un autre* », que Laërte, père d'Ulysse, résume le type d'échange qu'instaurent les lois de l'hospitalité (chant XXIV, v. 286). La formule est éloquente. Entre Nestor, Ménélas, Alkinoos et leurs hôtes, s'établissent des rapports fondés sur la confiance et l'amitié. On voit ici se dessiner une société civilisée et humaine, dans laquelle chacun sait qu'il peut recevoir les marques d'amitié qu'il témoigne spontanément à autrui.

Mais dès lors que s'installent des rapports de sauvagerie (comme avec Polyphème), des rapports de haine ou de mépris (comme avec les prétendants), il n'existe plus ni douceur ni pitié. Ainsi, c'est le cœur en paix qu'Ulysse aveugle Polyphème et massacre les prétendants. « *Zeus et les autres dieux t'[...] ont [...] bien puni* », lance-t-il au Cyclope une fois qu'il s'est vengé (chant IX, v. 479). La justice, aux yeux d'Ulysse, consiste à rendre le mal pour le mal, et à instaurer la violence et la guerre dès lors qu'on bafoue les lois sacrées de l'hospitalité.

Correspondances

- Homère, *Iliade*, chant VI, v. 212-233, fin du VIIIe s. av. J.-C.
- Pétrone, *Le Satiricon*, Ier s. ap. J.-C.
- Florence Dupont, *Homère et Dallas*, 1991.

1

Cette scène de l'*Iliade* peut surprendre le lecteur d'aujourd'hui. En pleine guerre de Troie, un Grec et un Troyen découvrent que leurs pères furent liés par des rapports d'hospitalité. Le Grec est Diomède, fils de

Tydée, petit-fils d'Oenée, et le Troyen, Glaucos, fils d'Hippolochos, petit-fils de Bellérophon. Comme il est impossible que des hôtes s'entretuent, les deux héros, alors même qu'ils combattent dans des armées ennemies, décident de s'épargner. L'extrait commence au moment où Glaucos vient de révéler à Diomède le nom de ses ancêtres.

« Ainsi parla-t-il, et Diomède vaillant au cri de guerre se réjouit. Il planta sa lance sur la terre nourricière, et adressa ces apaisantes paroles au pasteur des guerriers :
– Ainsi donc, tu es pour moi un vieil hôte que mes aïeux reçurent ! Jadis, en effet, le divin Oenée reçut dans son palais et garda vingt jours l'irréprochable Bellérophon. Et tous deux, l'un à l'autre, se firent des présents magnifiques. Oenée fit don d'un éclatant ceinturon de pourpre, et Bellérophon, d'une coupe d'or à double calice, que j'ai laissée dans ma demeure en partant. De Tydée, je ne me souviens pas, puisqu'il me laissa, tout petit encore, lorsque fut détruite, sous les murs de Thèbes, l'armée des Achéens. Ainsi donc, je suis pour toi, au cœur de l'Argolide, un hôte que tu prises, et toi, tu es le mien, en Lycie, lorsque je me rendrai au pays des Lyciens. Évitons-nous tous les deux de nos lances, même dans la mêlée. Assez nombreux sont pour moi les Troyens et leurs illustres alliés, pour que je tue celui qu'un dieu m'amènera ou que je pourrai rejoindre à la course. Assez nombreux sont aussi pour toi les Achéens, pour que tu puisses abattre celui que tu pourras. Dès lors, échangeons nos armes, afin que tous ces combattants sachent aussi que nous nous flattons d'être des hôtes par nos pères.
Ayant parlé ainsi, ils sautèrent de leurs chars, se prirent les mains et se jurèrent fidélité. »

Homère, *Iliade*, chant VI, v. 212-233, fin du VIIIe s. av. J.-C., trad. Mario Meunier, Albin Michel, 1961.

2

Dans l'Antiquité, l'hospitalité a pu prendre, chez de riches particuliers, des formes qui nous paraissent excessives. Un riche Sicilien d'Agrigente du nom de Gellias faisait inviter par ses esclaves tous les étrangers qui séjournaient dans sa ville. Un jour, il logea, dit-on, cinq cents cavaliers et leur offrit à chacun, au moment de leur départ, un manteau et une tunique ! L'hospitalité est ici une façon d'affirmer son importance et son pouvoir, en agissant de manière royale. Dans *Le Satiricon*, le romancier latin Pétrone (Ier s. ap. J.-C.) décrit un festin ridicule. Quand il organise un banquet, le riche affranchi Trimalchion n'a pas d'autre but que d'éblouir ses hôtes en leur offrant le spectacle de sa fortune.

« Nous prîmes place, pendant que des pages d'Alexandrie nous versaient sur les doigts de l'eau neigée et que d'autres, venant après eux, s'occupèrent de nos pieds et nous firent les ongles des orteils avec la plus grande habileté. Et, tout en nous rendant ces services peu ragoûtants, ils ne gardaient pas le silence, mais chantaient sans arrêt. Je voulus savoir si tous les gens de la maison chantaient de même, et je demandais de l'eau. Un esclave, très empressé, m'obéit de la même façon, avec une chansonnette aigre, et ainsi faisaient tous ceux à qui l'on demandait quelque chose. Un chœur de pantomime, et non la salle à manger d'une maison bourgeoise : telle était l'impression.
Pourtant, on apporta un ensemble de hors-d'œuvre fort distingués ; tout le monde s'était déjà installé à table, sauf Trimalchion, à qui, selon une nouvelle mode, était réservée la place d'honneur. Quoi qu'il en soit, sur le surtout des entrées était posé un âne en bronze de Corinthe avec un double panier, dont l'un contenait des olives vertes, l'autre des noires. Au-dessus de l'ânon, deux plats, en manière de toit, et portant gravés sur les bords le nom de Trimalchion et

leur poids d'argent. Des passerelles soudées supportaient des loirs saupoudrés de miel et de pavot. Il y avait aussi des saucisses bouillantes posées sur un gril d'argent et, sous le gril, des pruneaux de Syrie avec des grains de grenade.
Nous étions au milieu de ces élégances lorsque Trimalchion lui-même fut apporté en musique et déposé sur des coussins minuscules, ce qui nous fit, tant c'était inattendu, éclater de rire. Car, d'un manteau écarlate, sortait juste sa tête rasée, et, autour de son cou tout emmitouflé dans son vêtement, il avait fourré une serviette à large bande de pourpre dont les franges pendaient de tous les côtés. De plus il avait au petit doigt de la main gauche une énorme bague légèrement dorée et, à la dernière phalange du doigt précédent, une bague plus petite et, à ce qu'il me sembla, d'or massif, mais incrustée tout autour de sortes d'étoiles de fer. Et, pour ne pas borner cet étalage à ces seuls trésors, il mit à nu son bras droit qu'ornait un bracelet d'or et qu'entourait un cercle d'ivoire avec un fermoir brillant.
Puis, après s'être curé les dents avec une épingle d'argent : “Mes amis, dit-il, je n'avais pas encore envie de passer à table, mais, pour ne pas me faire désirer plus longtemps et ne pas vous faire attendre, je me suis sacrifié. Permettez-moi pourtant de finir ma partie.” Il était suivi par un esclave portant un plateau de térébinthe et des dés de cristal, et je constatai un trait de raffinement sans égal : en guise de pions blancs et de pions noirs, il avait des deniers d'or et des deniers d'argent. »

Pétrone, *Le Satiricon*, Ier s. ap. J.-C., trad. Pierre Grimal, « Folio », Gallimard, 1969.

3

Les rites d'hospitalité ne relèvent pas seulement de la générosité. Dans le monde homérique, dépourvu de lois, règnent brigandage et piraterie. L'hospitalité y apparaît comme un moyen de s'assurer une protection et des appuis qui suppléent à l'absence du droit. En outre, comme le montre Florence Dupont, les rites d'hospitalité traduisent une certaine conception du pouvoir et des relations entre les hommes.

« Le banquet homérique se dit en grec *daís*, le partage ; banqueter, c'est partager et le modèle de ce partage est la viande sacrifiée, puis découpée en parts attribuées aux convives selon les règles délicates du savoir-vivre. Car la part donnée à chacun dit l'estime en général où la communauté le tient, l'estime particulière du maître de maison, enfin l'honneur qu'il veut lui faire tout spécialement ce jour. Dosage subtil de gloire sociale et de relation privée.
Jouissance du partage, partage de la jouissance, tout banquet est tissé de ces deux notions [...]. Jouissance et partage créent entre les rois qui se seront offert mutuellement banquet sur banquet un lien fondé sur la circulation égalitaire des cadeaux (ce que les sociologues appellent le don et le contre-don). L'Homérie ne connaît pas d'autres formes de sociabilité entre les hommes libres que celle qui passe par le banquet. Être un homme à part entière, c'est être un banqueteur, un roi. Tous les héros épiques sont rois ou fils de rois. Rois minuscules mais qui possèdent un palais avec une salle où donner des banquets et assez de vin, de bétail et de blé, pour régaler de temps à autre leurs pairs, les autres rois, voisins, familiers ou étrangers venus de loin. Tout autour de la grande salle du palais, chaque convive et roi, assis sur un fauteuil à clous d'argent, une petite table dressée devant lui, est l'égal de son voisin, l'égal du maître de maison, un maillon dans la longue chaîne d'hospitalité qui de proche en proche unit tous les rois grecs entre eux. »

Florence Dupont, *Homère et Dallas*,
« Les Essais du XXe siècle », Hachette, 1991.

Quelques jugements sur l'*Odyssée*

Dès l'Antiquité, l'œuvre d'Homère fait, en Grèce ou à Rome, l'objet de commentaires et de jugements enthousiastes. Cette admiration se transmet ensuite aux auteurs français ou étrangers, comme le montrent les textes qui suivent.

Boileau (1636-1711) admire tant l'épopée homérique qu'il la présente comme l'œuvre d'un dieu. À ses yeux, elle représente en effet, pour les auteurs du XVIIe siècle, un modèle inégalable.

« Quand la dernière fois dans le sacré vallon
La troupe des neuf sœurs par l'ordre d'Apollon
Lut l'*Iliade* et l'*Odyssée*,
Chacune à les louer se montrant empressée,
"Apprenez un secret qu'ignore l'univers,
Leur dit alors le dieu des vers :
Jadis avec Homère aux rives du Permesse
Dans ce bois de lauriers où seul il me suivait
Je les fis toutes deux plein d'une douce ivresse.
Je chantais, Homère écrivait." »

Nicolas Boileau, *Poésies diverses et Épigrammes*.

Bien des auteurs se plaisent à évaluer les mérites respectifs des deux épopées. Tirés de dictionnaires encyclopédiques (l'un du XVIIe siècle, l'autre du XIXe), les deux passages suivants définissent l'originalité de l'*Iliade* et de l'*Odyssée*, l'une par rapport à l'autre.

« Dans l'*Iliade*, on ne voit que des combats ; c'est la force qui triomphe. Dans l'*Odyssée*, ce sont des malheurs, des dangers, dont l'homme se tire par la prudence et par la patience. Dans l'*Iliade*, c'est Jupiter même, le dieu dont l'attribut est la puissance, qui domine et qui agit en maître. Dans l'*Odyssée*, c'est la déesse de la raison et de la sagesse qui conduit l'homme et qui le sauve.
L'*Iliade* est plus faite pour émouvoir, étonner, remuer les passions. L'*Odyssée* a plus de quoi instruire par ses récits allégoriques, ses peintures, ses maximes. Aussi Achille n'était-il qu'un guerrier. Ulysse était un sage, et un sage qui luttait contre les malheurs de l'humanité. »

Le Grand Vocabulaire français,
publié par une société de gens de lettres, 1767-1774,
XXX vol., article « Odyssée ».

« La beauté sublime des poèmes homériques n'a subi aucune atteinte : l'*Iliade* restera toujours, malgré les altérations et les interpolations qu'elle a subies, le modèle de l'épopée, la source de toute poésie épique ; l'*Odyssée* demeure le plus beau des poèmes familiers et des chroniques légendaires, l'inimitable modèle du roman en vers. Le premier poème est d'une grandeur, d'une élévation et d'un souffle tels que tous les autres poètes s'en sont inspirés ; le second est surtout charmant, curieusement pittoresque et, quoique d'une époque postérieure peut-être, encore empreint de la saveur exquise des poésies de l'âge primitif. »

Pierre Larousse, *Grand Dictionnaire universel*
du XIXe siècle, 1866-1876, XX vol., article « Homère ».

Dans le *Génie du christianisme*, Chateaubriand (1768-1848) tente de montrer la supériorité des œuvres chrétiennes sur celles des auteurs grecs et latins. Cependant, il ne peut s'empêcher de dire son admiration pour l'une des grandes scènes de l'*Odyssée* : les retrouvailles d'Ulysse et de Pénélope (au chant XXIII).

« Cette reconnaissance d'Ulysse et de Pénélope est peut-être une des plus belles compositions du génie antique. Pénélope assise en silence, Ulysse immobile au pied d'une colonne, la scène éclairée à la flamme du foyer : voilà d'abord un tableau tout fait pour un peintre, et où la grandeur égale la simplicité du dessin. Et comment se fera la reconnaissance ? par une circonstance rappelée du lit nuptial ! C'est encore une autre merveille que ce lit fait de la main d'un roi sur le tronc d'un olivier, arbre de paix et de sagesse, digne d'être le fondement de cette couche, qu'*aucun autre homme qu'Ulysse n'a visitée*. Les transports qui suivent la reconnaissance des deux époux, cette comparaison si touchante, d'une veuve qui retrouve son époux, à un matelot qui découvre la terre, au moment du naufrage ; le couple conduit au flambeau dans son appartement, les plaisirs de l'amour, suivis des *joies de la douleur* ou de la confidence des peines passées, la double volupté du bonheur présent, et du malheur en souvenir, le sommeil qui vient par degrés fermer les yeux et la bouche d'Ulysse, tandis qu'il raconte ses aventures à Pénélope attentive ; ce sont autant de traits du grand maître ; on ne les saurait trop admirer.
Il y aurait une étude intéressante à faire ; ce serait de tâcher de découvrir comment un auteur moderne aurait rendu tel morceau des ouvrages d'un auteur ancien. Dans le tableau précédent, par exemple, on peut soupçonner que la scène, au lieu de se passer en action entre Ulysse et Pénélope, eût été racontée par le poète. Il n'aurait pas manqué de semer son

récit de réflexions philosophiques, de vers frappants, de mots heureux. Au lieu de cette manière brillante et laborieuse, Homère vous présente deux époux, qui se retrouvent après vingt ans d'absence, et qui, sans jeter de grands cris, ont l'air de s'être à peine quittés de la veille. Où est donc la beauté de la peinture ? dans la vérité. »

Chateaubriand, *Génie du christianisme*, II, II, 2, 1802.

Dans *La Légende des légendes*, l'écrivain albanais Ismail Kadaré (né en 1936) s'interroge sur la tradition selon laquelle Homère serait un poète aveugle.

« Cet homme qui nous a structurés plus que toute divinité, plus qu'aucun élément de notre culture, est représenté comme un aveugle. Les controverses sur sa cécité durent depuis la nuit des temps et ne sont pas prêtes de cesser. Fut-il effectivement non voyant, ou au contraire doté d'une vue particulièrement pénétrante ? L'acuité surnaturelle de son regard n'aurait-elle pas été perçue comme son opposé, la cécité ? Peut-être cette cécité est-elle non pas physique, mais mentale ? peut-être s'agit-il d'un phénomène qui serait plutôt lié aux lois de la création ? ou encore un premier code esthétique ? Peut-être aussi cet homme, avant de composer le premier chant épique, inégalé jusqu'à ce jour, s'est-il senti gêné par la lumière crue de l'univers et l'a-t-il voilée, comme nous baissons les rideaux pour mieux méditer. »

Ismail Kadaré, *La Légende des légendes*,
trad. Yusuf Vrioni, Flammarion, 1995.

Une source d'inspiration

On trouvera cités ici quelques-uns des très nombreux textes qui ont été inspirés par l'œuvre d'Homère.

Dans *Les Mille et Une Nuits*, recueil anonyme de contes arabes, qui se constitua entre le Xᵉ et le XVIIᵉ siècle, on retrouve, quelque peu modifiée, l'histoire d'Ulysse et de Polyphème. Sindbad, voyageur intrépide, est confronté à un terrible géant dont il triomphe par la ruse.
Il existe pourtant, entre ce texte et celui de l'*Odyssée*, des différences significatives.

Sindbad découvre la demeure du Cyclope

« Nous nous éloignâmes du rivage, et en nous avançant dans l'île, nous trouvâmes quelques fruits et des herbes, dont nous mangeâmes pour prolonger le dernier moment de notre vie le plus qu'il nous était possible ; car nous nous attendions tous à une mort certaine. En marchant, nous aperçûmes assez loin de nous un grand édifice, vers lequel nous tournâmes nos pas. C'était un palais bien bâti et fort élevé, qui avait une porte d'ébène à deux battants, que nous ouvrîmes en la poussant. Nous entrâmes dans la cour, et nous vîmes en face un vaste appartement avec un vestibule, où il y avait, d'un côté, un monceau d'ossements humains, et, de l'autre, une infinité de broches à rôtir. Nous tremblâmes à ce spectacle, et comme nous étions fatigués d'avoir marché, les jambes nous manquèrent : nous tombâmes à terre, saisis d'une frayeur mortelle et nous y demeurâmes très longtemps immobiles. »

Le Cyclope rentre chez lui

« Le soleil se couchait, et tandis que nous étions à l'état pitoyable que je viens de vous dire, la porte de l'appartement s'ouvrit avec beaucoup de bruit, et aussitôt nous en vîmes sortir une horrible figure d'homme noir, de la hauteur d'un grand palmier. Il avait au milieu du front un seul œil, rouge et ardent comme un charbon allumé ; les dents de devant, qu'il avait fort longues et fort aiguës, lui sortaient de la bouche, qui n'était pas moins fendue que celle d'un cheval, et la lèvre inférieure lui descendait sur la poitrine. Ses oreilles ressemblaient à celles d'un éléphant et lui couvraient les épaules. Il avait les ongles crochus et longs comme les griffes des plus grands oiseaux. À la vue d'un géant si effroyable, nous perdîmes tous connaissance et demeurâmes comme morts. »

Un festin de chair humaine

« À la fin, nous revînmes à nous, et nous le vîmes assis sous le vestibule, qui nous examinait de tout son œil. Quand il nous eut bien considérés, il s'avança vers nous, et, s'étant rapproché, il étendit la main sur moi, me prit par la peau du cou, et me tourna de tous côtés, comme un boucher qui manie une tête de mouton. Après m'avoir bien regardé, voyant que j'étais si maigre que je n'avais que la peau et les os, il me lâcha. Il prit les autres tour à tour, les examina de la même manière, et, comme le capitaine était le plus gras de tout l'équipage, il le tint d'une main, ainsi que j'aurais tenu un moineau, et lui passa une broche au travers du corps ; ayant ensuite allumé un grand feu, il le fit rôtir, et le mangea à son souper dans l'appartement où il s'était retiré. Ce repas achevé, il revint sous le vestibule, où il se coucha, et s'endormit en ronflant d'une manière plus bruyante que le tonnerre. Son sommeil dura jusqu'au lendemain matin. Pour nous, il ne fut pas possible de goûter la douceur du repos, et nous passâmes la nuit dans la plus cruelle inquiétude dont on puisse être agité. Le jour étant venu, le géant se réveilla, se leva, sortit et nous laissa dans le palais. »

Que faire ?

« Lorsque nous le crûmes éloigné, nous rompîmes le triste silence que nous avions gardé toute la nuit, et, nous affligeant tous comme à l'envi l'un de l'autre, nous fîmes retentir le palais de plaintes et de gémissements. Quoique nous fussions en assez grand nombre et que nous n'eussions qu'un seul ennemi, nous n'eûmes pas d'abord la pensée de nous délivrer de lui par sa mort. Cette entreprise, bien que fort difficile à exécuter, était pourtant celle que nous devions naturellement former. Nous délibérâmes sur plusieurs autres partis, mais nous ne nous déterminâmes à aucun ; et nous soumettant à ce qu'il plairait à Dieu d'ordonner de notre sort, nous passâmes la journée à parcourir l'île, en nous nourrissant de fruits et de plantes, comme le jour précédent. Sur le soir, nous cherchâmes quelque endroit pour nous mettre à couvert ; mais nous n'en trouvâmes point, et nous fûmes obligés malgré nous de retourner au palais.

Le géant ne manqua pas d'y revenir et de souper encore d'un de nos compagnons ; puis il s'endormit et ronfla jusqu'au jour : après quoi il sortit et nous laissa comme il avait déjà fait. Notre condition nous parut si affreuse que plusieurs de nos camarades furent sur le point d'aller se précipiter dans la mer, plutôt que d'attendre une mort si étrange, et ceux-là excitaient les autres à suivre leur conseil. Mais un de la compagnie, prenant alors la parole : "Il nous est défendu, dit-il, de nous donner nous-mêmes la mort, et quand cela serait permis, n'est-il pas plus raisonnable que nous songions au moyen de nous défaire du barbare qui nous destine à un trépas si funeste ?"

Comme il m'était venu dans l'esprit un projet sur cela, je le communiquais à mes camarades, qui l'approuvèrent. "Mes frères, leur dis-je alors, vous savez qu'il y a beaucoup de bois le long de la mer ; si vous m'en croyez, construisons plusieurs radeaux qui puissent nous porter, et lorsqu'ils seront achevés, nous les laisserons sur la côte jusqu'à ce que nous jugions à propos de nous en servir. Cependant, nous exécuterons le dessein que je vous ai proposé pour nous délivrer du géant ; s'il réussit, nous pourrons attendre ici avec patience qu'il passe quelque vaisseau qui nous retire de cette île fatale ; si, au contraire, nous manquons notre coup, nous gagnerons promptement nos radeaux et nous nous mettrons en mer. J'avoue qu'en nous exposant à la fureur des flots sur de si fragiles bâtiments, nous courons risque de perdre la vie ; mais quand nous devrions périr, n'est-il pas plus doux de nous laisser ensevelir dans la mer que dans les entrailles de ce monstre, qui a déjà dévoré deux de nos compagnons ?" Mon avis fut goûté de tout le monde, et nous construisîmes des radeaux capables de porter trois personnes. »

Sindbad passe à l'attaque

« Nous retournâmes au palais vers la fin du jour, et le géant y arriva peu de temps après nous. Il fallut encore nous résoudre à voir rôtir un de nos camarades. Mais enfin, voici de quelle manière nous nous vengeâmes de la cruauté du géant. Après qu'il eut achevé son détestable souper, il se coucha sur le dos et s'endormit. Dès que nous l'entendîmes ronfler selon sa coutume, neuf des plus hardis d'entre nous et moi, nous prîmes chacun une broche, nous en mîmes la pointe dans le feu pour la faire rougir, et ensuite nous la lui enfonçâmes dans l'œil en même temps et nous le lui crevâmes.

La douleur que sentit le géant lui fit pousser un cri effroyable. Il se leva brusquement et étendit les mains de tous côtés, pour se saisir de quelqu'un de nous, afin de le sacrifier à sa rage ; mais nous eûmes le temps de nous éloigner de lui et de nous jeter contre terre, dans les endroits où il ne pouvait nous rencontrer sous ses pieds. Après nous avoir cherchés vainement, il trouva la porte à tâtons et sortit avec des hurlements épouvantables.

Nous sortîmes du palais après le géant et nous nous rendîmes au bord de la mer, dans l'endroit où étaient nos radeaux. Nous les mîmes d'abord à l'eau et nous attendîmes qu'il fît jour pour nous jeter dessus, supposé que nous vissions le géant venir à nous avec quelque guide de son espèce ; mais nous nous flattions que s'il ne paraissait pas lorsque le soleil serait levé, et si nous n'entendions plus ses hurlements ce serait une marque qu'il aurait perdu la vie ; et en ce cas, nous nous proposions de rester dans l'île et de ne pas nous risquer sur nos radeaux. Mais à peine fut-il jour, que nous aperçûmes notre cruel ennemi, accompagné de deux géants à peu près de sa grandeur qui le conduisaient, et d'un assez grand nombre d'autres encore qui marchaient devant lui à pas précipités.

À cette vue, nous ne balançâmes point à nous jeter sur nos radeaux et nous commençâmes à nous éloigner du rivage à force de rames. Les géants, qui s'en aperçurent, se munirent de grosses pierres, accoururent sur la rive, entrèrent même dans l'eau jusqu'à la moitié du corps, et nous les jetèrent si adroitement, qu'à la réserve du radeau sur lequel j'étais, tous les autres en furent brisés, et les hommes qui étaient dessus se noyèrent. Pour moi et mes deux compagnons, comme nous ramions de toutes nos forces, nous nous trouvâmes les plus avancés dans la mer et hors de la portée des pierres.

Quand nous fûmes en pleine mer, nous devînmes le jouet du vent et des flots, qui nous jetaient tantôt d'un côté et tantôt de l'autre, et nous passâmes ce jour-là et la nuit suivante dans une cruelle incertitude de notre destinée ; mais le lendemain nous eûmes le bonheur d'être poussés contre une île où nous nous sauvâmes avec bien de la joie. Nous y trouvâmes d'excellents fruits, qui nous furent d'un grand secours pour réparer les forces que nous avions perdues. »

Les Mille et Une Nuits, trad. Antoine Galland.

Dans *Les Regrets*, le poète Joachim Du Bellay (1522-1560) envie l'aventure d'Ulysse. Natif de Liré, en Anjou, Du Bellay était à Rome quand il composa ce poème. Il espérait, tout comme Ulysse, pouvoir revenir un jour dans son village natal. Dans ce sonnet, le héros grec devient le symbole de tous les voyageurs qui ont la chance de revoir leur patrie.

« Heureux qui, comme Ulysse, a fait un beau voyage,
Ou comme cestuy là qui conquit la toison,
Et puis est retourné, plein d'usage et raison,
Vivre entre ses parents le reste de son age !

Quand revoiray-je, helas, de mon petit village
Fumer la cheminee, et en quelle saison
Revoiray-je le clos de ma pauvre maison,
Qui m'est une province, et beaucoup d'avantage ?

Plus me plaist le sejour qu'ont basty mes ayeux,
Que des palais Romains le front audacieux :
Plus que le marbre dur me plaist l'ardoise fine,

Plus mon Loyre Gaulois que le Tybre Latin,
Plus mon petit Lyré que le mont Palatin,
Et plus que l'air marin la doulceur Angevine. »

Joachim Du Bellay, *Les Regrets*, 1558, sonnet XXXI.

Dans *Les Fleurs du mal*, Charles Baudelaire (1821-1867) évoque la nourriture des Lotophages, qui efface les souvenirs de ceux qui la goûtent. Mais le « *lotus parfumé* » dont parle Baudelaire n'est pas un fruit. À ses yeux, c'est le temps qui procure l'oubli en nous livrant à la mort.

« Lorsque enfin il mettra le pied sur notre échine,
Nous pourrons espérer et crier : En avant !
De même qu'autrefois nous partions pour la Chine,
Les yeux fixés au large et les cheveux au vent,

Nous nous embarquerons sur la mer des Ténèbres
Avec le cœur joyeux d'un jeune passager.
Entendez-vous ces voix, charmantes et funèbres,
Qui chantent : "Par ici ! vous qui voulez manger

Le Lotus parfumé ! c'est ici qu'on vendange
Les fruits miraculeux dont votre cœur a faim ;
Venez vous enivrer de la douceur étrange
De cette après-midi qui n'a jamais de fin ?" »

Charles Baudelaire, « Le Voyage » (extrait),
Les Fleurs du mal, 1857.

« La Chanson du mal-aimé » est un des plus célèbres poèmes d'*Alcools*, le recueil de Guillaume Apollinaire (1880-1918). Au moment où il se sent trahi par celle qu'il aime, le poète malheureux chante la fidélité exemplaire de Pénélope.

« Lorsqu'il fut de retour enfin
Dans sa patrie le sage Ulysse
Son vieux chien de lui se souvint
Près d'un tapis de haute lisse
Sa femme attendait qu'il revînt

L'époux royal de Sacontale
Las de vaincre se réjouit
Quand il la retrouva plus pâle
D'attente et d'amour yeux pâlis
Caressant sa gazelle mâle

J'ai pensé à ces rois heureux
Lorsque le faux amour et celle
Dont je suis encore amoureux
Heurtant leurs ombres infidèles
Me rendirent si malheureux. »

Guillaume Apollinaire, « La Chanson du mal-aimé » (extrait), *Alcools*, 1913.

Petit dictionnaire des personnages

Actoris
Servante de Pénélope.

Agamemnon
Roi d'Argos et de Mycènes, frère de Ménélas. C'est lui qui dirige l'armée grecque lors de la guerre de Troie.

Alkinoos
Roi des Phéaciens, auquel Ulysse fait le récit de ses voyages.

Anticlée
Épouse de Laërte, mère d'Ulysse.

Antinoos
Celui des prétendants qui se montre le plus insolent envers Ulysse et que celui-ci tuera avant les autres.

Apollon
Dieu de la musique et de la poésie, frère jumeau d'Artémis.

Argos
Chien d'Ulysse.

Argus
Personnage qui possédait cent yeux. Il fut tué par Hermès.

Artémis
Déesse de la chasse, sœur d'Apollon.

Athéna
Déesse de la guerre et de la raison, fille de Zeus, protectrice d'Ulysse.

Atrée
Père d'Agamemnon et de Ménélas.

Calypso
Nymphe qui tombe amoureuse d'Ulysse et le retient auprès d'elle pendant sept ans.

Charybde
Monstre marin qui engloutit les navires et auquel, grâce aux conseils de Circé, Ulysse parvient à échapper.

Cimmériens
Peuple légendaire, censé vivre

à proximité du pays des morts. Le territoire des Cimmériens est toujours plongé dans la brume et les ténèbres.

Circé
Magicienne qui transforme les compagnons d'Ulysse en porcs, puis, à sa demande, leur rend leur apparence humaine. Amoureuse d'Ulysse, Circé le retient chez elle durant toute une année.

Cronos
Père de Zeus. Cronos avait tué son propre père ; c'est pourquoi Homère le nomme « *Cronos le fourbe* ».

Cyclopes
Peuple légendaire de géants, censés posséder un œil unique au milieu du front. Les Cyclopes étaient les enfants de Poséidon.

Démodocos
Aède qui chante à la cour d'Alkinoos.

Éole
Dieu des vents.

Eumée
Porcher d'Ithaque, qui accueille Ulysse lorsque celui-ci se présente à lui habillé en mendiant.

Euryclée
Nourrice d'Ulysse.

Euryloque
Un des compagnons d'Ulysse.

Eurymaque
Un des prétendants de Pénélope.

Eurynomé
Intendante du palais d'Ulysse.

Hadès
Dieu des Enfers.

Hélène
Femme de Ménélas, roi de Sparte. Son enlèvement par Pâris déclenche la guerre de Troie.

Héphaestos ou Héphaïstos
Dieu de la forge et des forgerons, époux d'Aphrodite.

Héra
Femme de Zeus.

Hermès
Dieu des commerçants et des voyageurs, messager des dieux.

Hippotès
Père d'Éole.

Iros
Mendiant d'Ithaque.

Laërte
Époux d'Anticlée, père d'Ulysse.

Lestrygons
Peuple légendaire de géants anthropophages. Les Lestrygons réduisent la flotte d'Ulysse à un seul navire et dévorent bon nombre de ses compagnons.

Lotophages
Peuple légendaire censé se nourrir de fleurs magiques qui font perdre aux marins le désir de rentrer chez eux.

Mélantheus
Chevrier d'Ulysse, qui s'est mis à la solde des prétendants.

Mélantho
Sœur de Mélantheus, qui s'est mise à la solde des prétendants. Elle insulte Ulysse lorsqu'il se présente dans son propre palais habillé en mendiant.

Ménélas
Frère d'Agamemnon et mari d'Hélène. Il accueille chaleureusement Télémaque à Sparte.

Mentor
Ami d'Ulysse. Au début de l'œuvre, Athéna emprunte son apparence pour réconforter Télémaque.

Nausicaa
Fille d'Alkinoos.

Nestor
Roi de Pylos, qui reçoit Télémaque avec hospitalité.

Pallas
Épithète donnée à Athéna.

Pâris
Fils de Priam, roi de Troie.

Pénélope
Épouse d'Ulysse et mère de Télémaque.

Périmède
Un des compagnons d'Ulysse.

Personne
Nom imaginaire que se donne Ulysse quand Polyphème lui demande comment il s'appelle.

Phéaciens
Peuple mythique dont le roi est Alkinoos. Ce sont les Phéaciens qui reconduisent Ulysse à Ithaque.

Philœtios
Bouvier d'Ithaque, qui reste fidèle à Ulysse.

Politès
Un des compagnons d'Ulysse.

Polyphème
Un des Cyclopes, auquel Ulysse se trouve confronté.

Poséidon
Dieu de la mer et père des Cyclopes, qui poursuit continuellement Ulysse de sa colère.

Prétendants
Princes d'Ithaque qui courtisent Pénélope, sachant que celui qui l'épousera prendra le titre de roi.

Priam
Roi de Troie.

Scylla
Monstre marin qui saisit les hommes dans leur navire pour les dévorer.

Sirènes
Monstres marins qui, par leur voix harmonieuse, attirent les marins et les dévorent.

Télémaque
Fils d'Ulysse et de Pénélope.

Théoclymène
Devin qui, à Ithaque, prédit le retour d'Ulysse et la mort des prétendants.

Tirésias
Devin dont Ulysse vient consulter l'ombre au pays des Cimmériens.

Ulysse
Fils de Laërte et d'Anticlée, roi d'Ithaque.

Zeus
Roi des dieux, qui commande à la foudre et au tonnerre.

Dieux et déesses de l'Olympe

Aphrodite
(Nom latin : Vénus) déesse de l'amour et du plaisir, elle est désignée par le Troyen Pâris comme la plus belle des déesses.

Apollon
(Même nom en latin) frère d'Artémis, il est souvent représenté, comme elle, avec un arc et des flèches.

Arès
(Nom latin : Mars) fils de Zeus et d'Héra, c'est le dieu de la guerre. Il devient l'amant d'Aphrodite et se retrouve ligoté avec elle dans un filet que l'habile Héphaïstos, mari jaloux, a fabriqué pour surprendre le couple.

Artémis
(Nom latin : Diane) sœur d'Apollon, elle est la déesse de la chasse.

Athéna
(Nom latin : Minerve) déesse de l'intelligence et de la guerre, elle aide constamment Ulysse et Télémaque. Elle se tient parfois à leurs côtés et peut prendre, pour les conseiller, une apparence humaine.

Dionysos
(Nom latin : Bacchus) dieu du vin et de l'ivresse.

Éole
(Même nom en latin) dieu des vents ; il peut favoriser les marins ou au contraire retarder leur course.

Hadès
(Nom latin : Pluton ou Orcus) dieu des enfers. Il ne séjourne pas sur l'Olympe. Il demeure en effet sous la terre ; son royaume, peuplé par les âmes des morts, se nomme l'Érèbe.

Héphaïstos
(Nom latin : Vulcain) dieu de la forge et des forgerons ; il possède une extraordinaire habileté manuelle.

Héra
(Nom latin : Junon) épouse de Zeus et déesse du mariage, elle est jalouse et rancunière.

Hermès
(Nom latin : Mercure) dieu du commerce et messager de Zeus. Il est souvent représenté avec une baguette d'or qu'on nomme le « caducée ».

Poséidon

(Nom latin : Neptune) dieu des mers et père des Cyclopes ; il poursuit Ulysse de sa colère en déclenchant contre lui de terribles tempêtes.

Zeus

(Nom latin : Jupiter) maître des dieux. Il gouverne à la foudre et au tonnerre. C'est pourquoi on le nomme parfois « *Zeus tonnant* ». Il est le fils de Cronos (Saturne en latin).

Le dieu Hermès. Statue étrusque. Rome, villa Giulia.

Petit lexique de l'épopée

Aède
Poète antique, qui composait oralement ses œuvres et les récitait au cours de banquets en s'accompagnant éventuellement à la lyre.

Archéologie
Étude des traces (œuvres d'art, monuments, etc.) que nous ont laissées les civilisations anciennes.

Champ lexical
Ensemble de mots ou d'expressions qui se rapportent à un même domaine.

Chant
Division d'une épopée. L'*Odyssée*, comme l'*Iliade*, est composée de vingt-quatre chants. Mais cette division ne remonte pas au temps d'Homère ; elle a été établie plusieurs siècles après lui.

Comparaison
Figure de style qui établit un rapport de ressemblance entre une personne ou une chose, et une autre. Homère utilise une comparaison quand il dit que le Cyclope ressemblait « à un pic boisé » (chant IX, v. 191). Voir aussi « Métaphore ».

Devin
Personne qui, inspirée par les dieux, pouvait prédire l'avenir. Au chant XI, Ulysse aborde au pays des Cimmériens pour consulter le devin Tirésias.

Épithète homérique
Épithète de nature ou de caractère qui lie de manière permanente le nom d'une personne ou d'une chose à une qualification qui leur est propre. On trouve des épithètes homériques dans les expressions « la sombre mort », « Zeus tonnant », « Ulysse l'endurant ».

Épopée
Vaste poème qui célèbre, en mêlant parfois l'Histoire et la légende, les exploits d'un héros exemplaire ou les hauts faits d'un groupe. Les épopées les plus illustres sont l'*Iliade* et l'*Odyssée* d'Homère (composées en grec) ou l'*Énéide* de Virgile (composée en latin).

Formulaire
Quand un vers revient à plusieurs reprises au cours du texte, sans modification, on dit qu'il s'agit d'un vers formulaire. « Lorsque au petit matin parut l'aurore aux doigts de rose » ou « De là nous voguâmes plus loin, le cœur plein de tristesse » sont des vers formulaires.

Héraut
Celui qui, dans une expédition, tente d'établir un contact avec un autre peuple et joue ainsi le rôle d'ambassadeur, de porte-parole.

Héros
Dans la mythologie, un héros est le fils d'un mortel et d'une déesse (comme Achille) ou d'un dieu et d'une mortelle (comme Héraclès). Mais on utilise aussi le terme de héros pour désigner le personnage principal d'une œuvre ou un être remarquable. Ulysse est le héros de l'*Odyssée*.

Hyperbole
Figure de style qui utilise l'exagération pour donner plus de force à l'expression. L'hyperbole est un procédé fréquent dans l'épopée.

Libation
Sacrifice que pratiquaient les Grecs en répandant un liquide (sang, vin, lait) qu'ils offraient ainsi à une divinité.

Métamorphose
Changement de forme qui rend un être méconnaissable. À Ithaque, pour éviter qu'Ulysse soit reconnu par les prétendants, Athéna lui fait subir une métamorphose : elle lui donne l'apparence d'un vieux mendiant.

Métamorphoser
Changer la forme d'un être, lui faire prendre une apparence qui le rend méconnaissable. Circé métamorphose les compagnons d'Ulysse en porcs. Athéna se métamorphose fréquemment pour apparaître à Ulysse.

Métaphore
Figure de style qui consiste à identifier une personne ou une chose à une autre. Homère utilise une métaphore quand il parle d'un « vin aux sombres feux » (chant IX, v. 360) . Si le texte indiquait « les reflets du vin brillaient comme un feu » ou « ressemblaient à un feu », il s'agirait

non plus d'une métaphore, mais d'une comparaison.
Voir « Comparaison ».

Monologue
Discours d'un personnage qui parle tout seul.

Mythe
Récit fabuleux, transmis par la tradition, qui met en scène des héros et des divinités, et possède généralement un sens symbolique.

Mythologie
Ensemble des mythes propres à une civilisation donnée.

Nymphe
Divinité de moindre importance que les dieux et les déesses, qui habite dans la nature (le plus souvent dans les bois, dans un cours d'eau ou dans la mer). Calypso est une nymphe.

Oracle
Parole qu'on croit inspirée par un dieu et qui dévoile l'avenir de manière plus ou moins claire.

Péripétie
Événement imprévu qui modifie brusquement la situation des personnages.

Présage
Signe qu'on croit envoyé par un dieu, et qui permet d'envisager l'avenir de manière favorable ou non. Au chant XXI, quand Ulysse prend son arc en main, il entend un coup de tonnerre qu'il interprète comme un présage favorable de Zeus.

Prétendant
Celui qui prétend à quelque chose (à un mariage, à un titre, etc.). Dans l'*Odyssée*, on appelle « prétendants » les princes qui, en l'absence d'Ulysse, voudraient épouser Pénélope et s'emparer du trône d'Ithaque.

Question homérique
Les spécialistes se demandent encore aujourd'hui qui est l'auteur de l'*Iliade* et de l'*Odyssée*. S'agit-il d'un seul ou de plusieurs auteurs ? Quelle est, dans ces œuvres, la part de la composition personnelle et de la tradition ? C'est à ce problème qu'on donne le nom de « question homérique ».